D1206174

© 1979 Nouvelles Editions Mame, Paris
Dépôt légal 1er trimestre 1988
ISBN 2-7289-0042-6

L'ANCIEN TESTAMENT RACONTÉ AUX ENFANTS

par Claude et Jacqueline LAGARDE
et illustré par Pierre-Henri BOUSSARD

mame

Questions d'un Bibliste

FRANÇOIS BROSSIER (Exégète, Professeur à l'Institut Supérieur de Pastorale Catéchétique (ISPC) : Je ne suis pas compétent pour la catéchèse des enfants de huit ans mais, à la lecture de votre ouvrage, l'exégète que je suis se pose des questions.

Ainsi, pourquoi vous êtes-vous éloignés assez souvent du texte biblique ? Pour ne prendre qu'un petit exemple, pourquoi, dans le récit sur Samuel mentionner une église au lieu d'un temple ?

LES AUTEURS : Nous avons limité au maximum ce procédé. Dans le cas présent, il s'agit d'un détail matériel et nous avons agi ainsi pour faciliter la compréhension de l'enfant. Il nous semble que, de toute façon, pour ce genre de choses concrètes, l'enfant aurait amalgamé église et temple. Si le texte n'avait pas introduit le mot « temple » à partir de l'image de l'église, l'enfant l'aurait quand même fait en demandant le sens du mot à ses parents. Sa démarche tend à ramener l'inconnu au connu. Elle tend donc à nier la distance culturelle entre le monde actuel et l'univers biblique. C'est dommage, mais son âge le veut.

FRANÇOIS BROSSIER : La Bible fourmille de détails bizarres et illogiques qui déconcertent le lecteur positiviste. Vous n'avez pas voulu les supprimer, c'est bien. Mais pourquoi les avoir accentués dans certains cas ?

LES AUTEURS : Nous avons constaté que l'enfant réfléchit quand il rencontre justement quelque chose de bizarre et non pas quand tout est clair. Alors nous avons maintenu ces aspérités du texte biblique. Nous les avons même appuyées dans certains cas.

FRANÇOIS BROSSIER : Si vous vouliez ne pas raboter le texte pour lui laisser son relief théologique, pourquoi ne pas avoir davantage exploité les aspérités du texte lui-même ? Par exemple, le plan de l'Arche de Noé semble bien désigner une ziggurat, c'est-à-dire un temple à étages. C'est elle le symbole du salut accordé par Dieu. Pourquoi ne l'utilisez-vous pas ?

LES AUTEURS : Tout simplement parce que nous l'ignorions. Ce détail est en effet éclairant de la théologie du récit. Notre texte en oublie certainement bien d'autres qu'il nous reste à découvrir nous-mêmes.

FRANÇOIS BROSSIER : Votre texte semble contenir une contradiction. D'un côté vous maintenez les difficultés pour faire réfléchir les enfants, d'un autre, vous n'hésitez pas à renforcer le caractère apparemment anecdotique. Vous introduisez par exemple, un « tic tic tic toc toc toc » lors de la construction de l'Arche ?

LES AUTEURS : Vous touchez là du doigt une difficulté fondamentale de toute présentation de la Bible à des enfants. Nous sommes devant un dilemme. Les enfants, surtout les petits, ont besoin d'images connues et de détails concrets pour saisir et retenir la séquence. Si le texte n'est pas assez coloré et vivant, s'il est trop abstrait, l'enfant ne s'y attache pas et n'en retient rien. Le danger est, comme vous le soulignez, si le texte est trop imagé, que l'enfant n'en retienne qu'une anecdote au détriment du sens théologique. Nous pensons par expérience que le dilemme se résout dans le temps. Si on observe les progrès de l'enfant, on constate qu'il est capable, vers neuf ans, de dépasser la lecture anecdotique des séquences acquises. Tel est le rôle des aspérités : faire prendre une distance par rapport à la « lettre » du récit. A ce moment-là, comme nous l'expliquons dans l'introduction, l'adulte doit intervenir pour l'aider à développer progressivement une réflexion.

FRANÇOIS BROSSIER : Ne craignez-vous pas que votre pédagogie s'inverse si l'adulte n'intervient pas de façon constructive, que l'enfant s'enferme dans l'anecdotique et qu'en grandissant, il n'ait de la Bible que le souvenir d'une belle histoire ?

LES AUTEURS : Ce risque a toujours existé, mais il est limité par l'existence des aspérités du texte qui appellent un effort de réflexion de la part de l'enfant. Les anecdotes, elles, endorment, mais elles sont nécessaires pour donner leur plein relief aux illogismes, aux détails curieux que la Bible contient. En maintenant cette tension entre anecdotes et aspérités, nous pensons que l'enfant peut dépasser la belle histoire. Cependant, il faut reconnaître que l'enfant peut difficilement faire seul ce travail de décodage. Nous avons tenté de résoudre cette difficulté en donnant, à la fin du livre, des clés de lecture aux adultes pour qu'ils puissent aider l'enfant.

FRANÇOIS BROSSIER : La question est difficile. On jugera l'arbre à ses fruits. J'aurais quant à moi deux vœux à formuler : que les adultes chrétiens prennent conscience de leur rôle catéchétique irremplaçable et que les éducateurs qui utiliseront ce livre se fassent une obligation de méditer vos commentaires placés à la fin.

Introduction

Ce livre est une adaptation de la Bible réalisée pour des enfants de 8 à 11 ans. Il peut être utilisé par des parents comme complément biblique de la catéchèse. Il peut aussi être employé comme histoire sainte dans des écoles libres.

Peut-être vous demandez-vous pourquoi nous proposons si tôt une initiation à la Bible.

L'ENFANT ET LA BIBLE

« Maman, raconte-moi une histoire. » « Maman, dis-moi le Petit Chaperon Rouge. » « Dis, Maman, raconte-moi Jésus qui a parlé à la tempête. » Et la mère s'exécute, ou bien hésite. Elle a cru bien faire en donnant à son enfant ces divers récits, et voilà qu'il semble tout mélanger, et confondre dans un même genre les miracles de Jésus et les contes de fées, les récits bibliques et les Belles Histoires de Pomme d'Api.

Dès trois ans, l'enfant joue « au gros loup » et « tue l'ogre ». Il nous montre là qu'il commence à faire la part du rêve. Mais les histoires « de Jésus » sont traitées par lui d'une autre manière.

A six ans ou un peu après viennent en effet des questions sur la Bible : « Maman, c'est vrai que Jésus a arrêté la tempête ? » Mais attention, toutes les questions ne sont pas aussi clairement exprimées. Cherchez bien, écoutez les enfants : tous inventent une réponse. Comme Didier, qui croit qu'au temps d'Adam et Eve les animaux parlaient comme nous ! Le serpent de l'Arbre de la Connaissance du bien et du mal peut donc avoir existé tel qu'il est décrit dans le récit de la Genèse. « Sa » solution satisfait Didier, pour l'instant. Mais, s'il en reste là, ne viendra-t-il pas un jour où il jettera ce merveilleux récit dans la poubelle des légendes avec l'ogre du Petit Poucet ?

Tout enfant est ainsi amené, un jour ou l'autre, à se décider pour ou contre la vérité de la Bible, pour peu qu'il y réfléchisse. Mais quelle est cette vérité ?

L'ENFANT ET LA VÉRITÉ

Que veut dire l'enfant quand il pose cette question, en apparence simple. « Est-ce que c'est vrai ? » Il veut savoir si ce qui est dit, écrit ou raconté a existé, si les faits décrits sont réels.

Parce qu'il est positif et concret, la notion de vérité de l'enfant est simpliste : seuls le visible et le tangible sont vrais, tout le reste est faux. Parce qu'il concentre son intérêt sur cet aspect du réel, le « vrai » de l'enfant ne peut être que visible, vérifiable et palpable.

Positiviste, l'enfant le devient de plus en plus. L'apprentissage scolaire de la lecture et de l'écriture renforce cette tendance. Se dégageant progressivement du monde merveilleux et imaginaire, l'enfant acquiert une perception concrète de la vérité. Il s'installe peu à peu dans le monde des choses où ce qui est vrai est exclusivement ce qui se voit, se palpe et se mesure.

Ce contexte de mutation vers un positivisme de plus en plus marqué nous donne la clé de cette interrogation. C'est dans ce contexte que l'enfant accède aux récits bibliques et à la question « la Bible est-elle vraie ? »

La réponse chrétienne est impossible à l'intérieur de ce positivisme, car la question est mal posée du point de vue de la foi. La vérité chrétienne est ailleurs. L'enfant ne pourra saisir cette vérité-là tant que durera son positivisme, tant qu'il restera enfermé dans un monde de choses excluant tout signe.

LA FOI ET LA BIBLE

La foi chrétienne n'est pas naturelle, elle est révélée, elle se fonde dans la Parole de Dieu qui crée l'homme à son image et à sa ressemblance.

La vérité de la Bible est celle du mystère de Dieu dans lequel nous sommes aussi : mystère de nous-mêmes, mystère du mal qui obscurcit les rapports entre l'homme et Dieu.

La Création, la Chute, la Rédemption, la Résurrection sont les mots que nous avons pour dire cette vérité-là. Le croyant médite l'Ecriture, écoute la Parole de Dieu et la partage en Eglise.

L'historien, lui, avec l'aide de l'archéologie, tente de déterrer des faits du passé. C'est sa recherche de vérité.

La première démarche, celle du croyant, se fait dans la foi, et suppose l'accès à ce niveau de vérité qu'est le mystère de Dieu. La seconde, bien différente de la première, se limite au monde visible, à la vérité concrète et matérielle.

L'enfant entre facilement dans la démarche de vérité de l'historien. Bien souvent, il ne soupçonne même pas l'existence de l'autre vérité, celle du croyant. Il voit peut-être ses parents prier, il constate sans doute l'existence de la communauté chrétienne, et s'interroge sur ces faits. Il imite les adultes de tout son cœur, mais il reste au niveau positiviste de sa question « est-ce vrai la Bible ? », même s'il affirme « moi, j'y crois. » Et c'est toujours ce même niveau de vérité qu'il exprime quand il dira, un peu plus tard : « à quoi ça sert, la messe ? »

Aucune catéchèse ne peut ignorer la différence profonde existant entre le monde mental de l'enfant et celui de la foi. Aucune catéchèse ne peut éviter de se donner comme but l'accès de l'enfant à l'idée d'une vérité autre que le concret, à l'idée que la vie a une « épaisseur ». A tête « plate », monde « plat », et nous voulons une tête d'enfant ayant liberté d'accès à la Révélation et à la sorte de vérité qu'elle suppose.

QUE FAIRE ?

L'univers de la foi chrétienne est tout à fait étranger à l'univers mental de l'enfant, parce que la vérité de l'un exclut celle de l'autre. C'est pour cela qu'il est impossible d'expliquer à l'enfant ce qu'est la foi. Il reçoit nos explications dans son monde mental, il les comprend à sa façon qui n'est pas celle que nous voulons. Il faudra un long travail préparatoire pour que « change sa tête ».

En effet, si nous disions à l'enfant que certains récits bibliques ne sont pas vrais, il en conclurait qu'ils sont faux, et il s'en détournerait. Nous préférons nous contenter d'un « c'est vrai, puisque c'est dans le Livre de Dieu », et jouer sur l'ambiguïté du mot « vrai ». L'enfant acceptera l'argument un certain temps. Nous mettrons à profit ce délai — deux ou trois ans — pour l'aider à changer, à dépasser son positivisme et à s'ouvrir peu à peu au niveau de vérité qui lui manque.

Mais « changer la tête » d'un enfant n'est pas chose aisée dans notre monde occidental. Un long travail d'initiation doit être entrepris, différent des apprentissages scolaires, afin que l'enfant accède à l'idée d'une vérité spirituelle.

Cet « Ancien Testament raconté aux enfants » peut être un outil parmi d'autres pour ce travail d'initiation.

CE QUE L'ENFANT RETIENT

Des enquêtes faites en classe de sixième, dans des lieux très divers, nous apprennent qu'il reste peu de chose aux enfants après trois années de catéchèse... Ce « peu de chose » se répartit ainsi :

- Les enfants se souviennent d'abord et surtout du contexte de la catéchèse, du déroulement des séances et de l'ambiance. Neuf fois sur dix, ils décrivent des activités, mais semblent tout ignorer de leur contenu.

- Si on insiste un peu, ils évoquent des récits bibliques ou des célébrations dont ils ont une mémoire assez sommaire. Ils décrivent des images à la suite les unes des autres, comme on raconterait une bande dessinée, mais semblent retenir plus le concret que l'abstrait.

- Si on essaye d'aller plus loin, ils « sortent » quelques phrases-slogans, quelques clichés moraux et théologiques : Jésus est venu sauver tous les hommes, ou les chrétiens doivent s'aimer les uns les autres, etc.

Les deux premiers points peuvent étonner, pourtant ils sont conformes à ce que nous savons de l'enfant et de sa pensée concrète. Le troisième est plus gênant : il montre que ces enfants de onze/douze ans sont restés fixés à un niveau de vérité très élémentaire, à une intelligence de la foi rudimentaire.

Pour qu'un enfant retienne l'abstrait (ce qui n'est ni une image, ni un fait, ni une description), il faut qu'il en parle. Il ne réfléchit qu'en discutant. Il garde en mémoire ce qu'il a échangé avec d'autres.

VERS UNE AUTRE VÉRITÉ

Si nous interrompons les explications, même confuses, d'un enfant, en lui proposant notre bonne réponse, il nous écoute. Mais il retiendra surtout ce qu'il a dit, lui. Il reprendra sa réflexion plus tard, au point où nous l'avions interrompue.

Le Didier de tout à l'heure, par exemple, croyait que les animaux parlaient au temps d'Adam et Eve. L'adulte avait tenté de le détromper. Mais, vingt mois plus tard, Didier réaffirme sa même idée. Cependant, devant le rire de ses camarades, il bafouille une solution plus élaborée qui n'est autre que la vérité religieuse du récit : « Le serpent, c'est pas un vrai serpent, c'est le mal qui nous pousse. On l'a mis là pour nous faire comprendre. » Didier a réalisé par lui-même, en discutant, ce qu'aucune explication n'aurait pu faire. Il a abandonné la compréhension littérale du texte, qu'il connaissait depuis longtemps, pour une lecture religieuse. Il a élaboré une solution abstraite en parlant, en réfléchissant, en prenant du recul par rapport à l'histoire. Il retiendra « sa » solution, parce qu'il l'a fabriquée lui-même, à cause de l'effort d'intelligence qu'il a fait dans la ligne de sa première interrogation.

Didier, en se hissant à un niveau de vérité qu'il ne soupçonnait pas avant, a changé sa tête, a modifié son univers mental. C'est la parole qu'il a émise — la solution qu'il a découverte — qui l'a transformé. Désormais, elle fait partie de lui-même et il la retiendra. On voit bien qu'une réponse donnée de l'extérieur n'opère pas pareil changement.

L'enfant accède à l'intelligence religieuse quand il développe de l'énergie, quand il veut trouver la solution de sa question. Faute de cet effort d'intelligence, il ne retiendra que des images et des slogans. C'est-à-dire les deux types de souvenirs que nous confirment les enquêtes faites en sixième.

L'enfant « change sa tête », c'est à dire sa façon de penser, quand il expose sa solution, quand il défend son point de vue, quand il cherche plus loin que sa première réponse. Il passe ainsi, d'une vérité positive, enfermée dans les choses visibles, à une vérité plus abstraite, plus spirituelle. C'est là le long travail préparatoire qui fait partie de la catéchèse. Il se fait mieux en équipe que seul, avec l'aide de l'adulte, indispensable pour faire réfléchir les enfants.

COMMENT UTILISER CE LIVRE ?

Avant neuf ans
Notre texte est un compromis : écrit pour des enfants, il est concret, mais il est aussi récit théologique, et il garde un relief religieux qui s'exprime dans des abstractions, des symboles ou codes théologiques. Il évoque ainsi la Création, c'est-à-dire la dépendance de l'homme à l'égard de Dieu, l'Alliance qui est sa conséquence, le péché qui est le refus de l'Alliance et de la Création, et la volonté de Salut, réparation des dégâts commis par le péché dans la Création.

Avant de lire ou de faire lire le texte aux enfants, lisez-le vous-même. Interrogez-vous sur le message religieux du récit, non pas pour l'enfant, mais à votre niveau. Les commentaires de dessins, à partir de la p. 91 sont écrits dans ce but. L'enfant ne sera probablement pas capable de saisir la théologie du récit, mais il est important que l'adulte l'ait vue et soit à l'aise avec le texte.

Dès la première lecture ou la première écoute, l'enfant est mis en présence d'un monde qu'il ignore. Il est plongé dans l'histoire du Salut qui se continuera en Jésus Christ, mais il est incapable de la saisir dans sa globalité. S'il ne peut pas comprendre les allusions théologiques, néanmoins il s'en imprégnera. Sans doute en restera-t-il aux anecdotes et aux descriptions. Sans doute posera-t-il des questions concrètes et pratiques qui seront souvent loin de la dimension religieuse du récit. Son positivisme le fera passer « à côté » de la vérité religieuse du texte. Mais, peu importe. L'enfant acquiert ainsi la matérialité du texte avant d'en soupçonner le sens. Il faut parfois plusieurs années pour que l'enfant « décolle de la lettre », c'est-à-dire de l'anecdote, et accède alors au sens religieux.

Après la lecture ou l'écoute du récit, faites dessiner l'enfant. Il a pu être frappé par une scène un peu extraordinaire. S'il sait écrire, il peut ajouter quelques mots à son dessin. Huit jours plus tard — ce délai de maturation est nécessaire — discutez avec lui sur l'histoire, en commençant par la lui faire raconter. Si plusieurs enfants sont réunis, c'est encore mieux. Ils réfléchiront ensemble en se corrigeant et en se répondant mutuellement.

Ne soyez pas étonné de leurs questions et de leurs réponses. Elles seront concrètes, pratiques et non théologiques. Poussez les enfants dans leurs retranchements. Obligez-les à dépasser leurs premières solutions. Insistez et ils iront plus loin dans leur réflexion.

Une erreur à ne pas faire : vouloir à tout prix leur donner la bonne réponse religieuse avant qu'ils ne soient capables de se situer à ce niveau d'abstraction. Avant neuf ans, l'enfant n'accède guère à la dimension religieuse des récits. Il reste « au ras du texte ». Il « décolle » peu de la lettre. Sachons-le et n'insistons pas. Les réponses religieuses viendront à temps, quand, vers dix ans, l'enfant commencera à accéder à un niveau d'abstraction suffisant. Il sera alors capable d'entrer dans le double sens des récits. Il abandonnera ses premières réponses pratiques et concrètes.

« L'Ancien Testament raconté aux enfants » est donc un instrument de travail destiné à développer la réflexion et la parole religieuses de l'enfant à partir d'images et de récits bibliques.

Après neuf ans.

A neuf ans, l'enfant abandonne lentement son positivisme, si nous l'aidons. Cette transformation a comme moteur le doute que le jeune enfant exprime dans la question « est-ce que c'est vrai ? » Ce doute est une interrogation profonde produite par la perception littérale et « plate » des récits bibliques. A cause de ce doute ressenti et exprimé, l'enfant cherche plus loin. Il découvre peu à peu une autre dimension de la vérité. Il entre progressivement dans le sens spirituel et symbolique de l'Ecriture. Il abandonne son monde de choses pour pénétrer dans un univers de signes. Il entame alors un processus d'intelligence des textes bibliques. En cherchant au delà de la « lettre », l'enfant transforme sa conception de la vérité. Il découvre ce qu'il n'imaginait pas, à savoir l'existence d'une vérité non positive, non matérielle, qui englobe, bien sûr, la Réalité de Dieu.

Ce passage d'un monde de choses à un monde de signes se réalise en deux années environ (neuf/onze ans). Il correspond à une modification radicale du rapport de l'enfant aux choses et aux mots.

Comment aider l'enfant à opérer ce passage ? Comme avant neuf ans, en lui donnant la parole. Il est essentiel que les enfants parlent librement sur les récits lus. En les verbalisant, ils donnent sens à ces récits. Ils quittent la seule matérialité, la seule littéralité, pour en approfondir le sens. Cette réflexion est lente : n'exigez pas tout de suite la compréhension religieuse des textes.

Après neuf ans, orientez progressivement la parole et la réflexion de l'enfant sur un « décodage » religieux des récits. La Bible est essentiellement un livre religieux. L'histoire d'Israël y est comprise en référence à Dieu et à son Alliance. Des symboles, véritables codes théologiques, émaillent le texte. Ils sont des allusions à Dieu, à son action passée. Ils évoquent des scènes typiques de l'Alliance entre Dieu et son peuple.

Avant neuf ans l'enfant ne donnait qu'un seul sens à chaque mot. Après, il peut en donner deux, le propre et le figuré, le littéral et le religieux. C'est alors qu'il commence à déchiffrer certains codes théologiques simples, à en chercher le second sens. Il les repère d'ailleurs vite, et il se demande ce qu'ils représentent. Il se dit « c'est pour nous faire comprendre quelque chose », mais il ne sait pas quoi. L'effort de réflexion qu'il est obligé de faire réalise le changement que nous voulons produire chez lui. L'enfant abandonne ainsi l'exclusive vérité positive et accède peu à peu à la vérité religieuse, à la Réalité de Dieu.

QUELQUES CODES

Le serpent (Satan ou parfois le lion) représente la tentation, le mal qui incite l'homme à abandonner Dieu. Il figure l'absence de Dieu, le refus par l'homme du dessein de Création.

L'ange représente la réalité invisible, une existence qui dépasse grandement le réel positif, une existence d'un autre ordre. Il représente la réalité de Dieu.

Le chiffre 7 signifie la présence et l'action de Dieu. Il renvoie aux 7 jours de la Création.

Le chiffre 40 renvoie aux 40 ans des Hébreux dans le désert. Il représente un temps de difficultés et d'épreuves pour la foi, temps qui se termine par la victoire de la foi.

Le désert est souvent associé au chiffre 40.

Le chiffre 3 (ou troisième) est une allusion à la Résurrection et au mystère pascal. Le texte le plus explicite est celui de Jonas. Ce récit est utilisé par Jésus, lui-même, pour évoquer sa mort et sa Résurrection.

La montagne est un lieu du ciel (Dieu). Elle évoque l'Alliance du Sinaï et le don de la loi. L'évangile selon saint Matthieu place les Béatitudes sur une montagne pour évoquer ce sens théologique. Il faut décrypter de la même façon d'autres passages du Nouveau Testament comme la Transfiguration et l'Ascension.

Le feu, la nuée et le rocher sont aussi des codes qui symbolisent Dieu. Ils renvoient au récit de l'Exode. On retrouve certains de ces codes en particulier dans les récits de la Transfiguration, de l'Ascension et de la Pentecôte.

Les eaux représentent la mort. (A l'époque on se représentait la terre comme une plateforme posée sur les « eaux d'en bas » et protégée des « eaux d'en haut » par une voûte, le firmament. Dieu était « le grand éclusier » qui commandait aux eaux et les empêchait de noyer la terre). Les eaux menacent le plan de Création de Dieu. Elles menacent de noyer la terre solide. Les eaux sont la résidence du Léviathan, le grand serpent de mer. Dieu sauve des eaux. Jésus marche sur les eaux et il les domine. La croix (le bois, comme celui de l'Arche de Noé) sauve des eaux. Par le baptême, le chrétien entre dans le mystère pascal, et le Christ le sauve des eaux de la mort. Le mystère pascal change la croix en résurrection et les eaux de la mort en eaux de la Vie Eternelle.

Nous n'irons pas plus loin dans l'introduction aux symboles bibliques. L'enfant ne pourrait pas saisir, par exemple, qu'un même symbole peut exprimer des réalités contradictoires. Respectons les, délais de maturation.

En « décodant » certains symboles théologiques, l'enfant de neuf/onze ans est devenu capable de lire le « Livre de Dieu » autrement qu'il le faisait plus jeune. Cette seconde lecture suppose une intelligence nouvelle de l'enfant. Elle suppose une certaine capacité d'abstraction qui a été acquise peu à peu par un travail de parole de plusieurs années. Encore une fois, ne croyez pas qu'en donnant aux enfants la signification des « codes », ils seraient capables d'entrer dans le mécanisme de la signification. Non. Seul l'effort réalisé par les enfants eux-mêmes leur ouvre la voie de la dimension religieuse des récits et non pas nos explications.

UTILISATION DES PEINTURES

Les peintures jouent un rôle important dans le dépassement de la lecture anecdotique. Elles contiennent les codes et incitent l'enfant au décryptage et à la contemplation. Elles évoquent aussi le Nouveau Testament (exemple : page 35). Les commentaires de la seconde partie du livre (page 92) expliquent aux éducateurs ces clés de lecture.

Après ce travail de décryptage, l'enfant sera préparé à mieux lire le second livre « Jésus Christ raconté aux enfants » qui est une introduction aux évangiles.

CRÉATION

Au début, il n'y avait rien. On n'entendait rien. On ne voyait rien. Seul Dieu existait. Ni la terre, ni le ciel, ni le noir, ni la lumière, ni la vie, ni la mort n'existaient.

Dieu dit : « Je vais faire toutes choses partout. » Il souffla sur le chaos et il cria de toute sa puissance : « Je veux que tout existe. » Il souffla pendant sept jours. La terre solide est apparue au milieu des eaux. La mer paisible ne noyait plus ni les champs, ni les forêts, ni la vie. La nuit a suivi le jour et le jour a suivi la nuit. Le soleil a réchauffé la terre et sa lumière l'a éclairée. Elle est bonne la parole de Dieu. Elle crée.

La vie a rempli toute la terre. Plantes et fleurs, arbres aux fruits délicieux, animaux petits et grands, hommes et femmes, habitent le monde entier. Dieu dit : « cela est bon. »

ADAM ET ÈVE

La terre était le jardin de l'homme et de la femme. Dieu leur dit : « Je vous ai faits pour tout commander. Soyez heureux en me ressemblant. Regardez : le lion et l'agneau dorment ensemble et le petit enfant met la main sur le trou de la vipère. » Elle est bonne la parole de Dieu. Elle fait la paix.

Dieu dit à l'homme et à la femme : « Ecoutez ma parole. Vous êtes heureux ici, car je suis avec vous. Mais si vous m'oubliez, vous seriez comme les morts, dans le noir. Faites ce que vous voulez, car la terre est votre terre. Cueillez tout. Mangez de tout. Mais attention, ne goûtez jamais du fruit de l'arbre où se cache le serpent, car ce serait un grand malheur. » Plus tard, le serpent dit à la femme : « Pichh, pichh, regarde

18

comme est bon le fruit de cet arbre. Il est brillant, il est sucré. » Mais la femme ne voulut pas désobeir à Dieu et elle se boucha les oreilles. Le serpent recommença : « Pichh, pichh, vas-y, n'aie pas peur, mange ce bon fruit. Regarde comme il est beau. » « C'est vrai, dit la femme, mais Dieu ne veut pas. » « Mange-le quand même, dit le serpent, vous deviendrez comme Dieu. » Alors la femme mordit dans le fruit de l'arbre où habitait le serpent et l'homme fit pareil.

La voix de Dieu gronda dans le soir. Pour la première fois l'homme et la femme avaient peur de Dieu et ils se cachaient au fond d'un buisson. Dieu dit : « Vous avez oublié ma parole et le mal est lâché sur la terre. Vous connaîtrez les épines et le chardon, vous connaîtrez la peine. — Qu'est-ce que c'est ? dit l'homme. — Vous saurez, dit Dieu. Vous connaîtrez la mort. — Qu'est-ce que c'est ? dit l'homme. — Vous saurez, dit Dieu. Vous connaîtrez le dur travail, la maladie et la guerre. — Qu'est-ce que c'est ? dit l'homme. — Vous saurez, dit Dieu. »

L'homme dit à Dieu : « Combien de temps faudra-t-il vivre ainsi ? » Dieu lui dit : « Longtemps vous essaierez de revenir comme avant, mais vous ne pourrez pas sans moi, car mon ange barre le chemin de la vie éternelle avec son épée de feu. Cherchez-moi, et je viendrai vous chercher. Sans moi vous ne pourrez rien faire. Ne l'oubliez jamais. » Elle est bonne la parole de Dieu.

CAÏN ET ABEL

L'homme et la femme eurent des fils et des filles. Il y eut Abel, berger de moutons et Caïn, son frère, qui cultivait le sol. Ils savaient que Dieu existait et ils y pensaient souvent. Ils le priaient chaque jour devant le feu de leur autel et ils lui offraient des choses de leur travail. Abel lui donnait ses plus beaux moutons et Caïn des fruits, du blé et des légumes. Mais le cœur des deux frères n'était pas pareil et Dieu le savait. Dieu le voyait. Il aimait bien les cadeaux d'Abel, mais refusait ceux de son frère. Caïn s'en aperçut et il se mit en colère contre Abel. Un jour il lui dit : « Veux-tu venir m'aider à ramasser mon blé dans mon champ ? » Abel lui répondit : « Dieu veut que nous nous aidions. » Et il partit avec son frère ramasser le blé. Arrivé au champ, Caïn se jeta sur Abel et il le tua. Puis il se cacha au fond d'un buisson, car il avait peur de Dieu. Alors il entendit la voix de Dieu : « Caïn, Caïn, qu'as-tu fait de ton frère ? » Elle est juste la parole de Dieu.

NOÉ

Adam et Eve eurent beaucoup d'enfants et de petits enfants qui leur ressemblaient. L'un d'eux s'appelait Noé. C'était un homme juste et bon qui, chaque jour, priait Dieu devant le feu de son autel. Il le priait de tout son cœur et il lui offrait ses plus beaux agneaux. Autour de lui, les hommes étaient devenus méchants et violents comme Caïn.

Un jour, Dieu dit à Noé : « La terre est remplie de méchanceté, car les hommes m'ont oublié. Ils deviennent de plus en plus malheureux à cause du mal. Je vais arrêter ce malheur et détruire ce que ma parole a créé. » Noé ne comprenait pas ce que Dieu disait.

Dieu dit : « Toi et ta famille, vous ne m'avez pas oublié et vous vivrez. Je vous sauverai de la mort. Construisez un grand bateau, car je vais faire pleuvoir quarante jours et quarante nuits. Vous entrerez dans ce bateau avec un mâle et une femelle de tous les animaux du monde pour que la vie puisse continuer. » Noé et ses trois fils construisirent le grand bateau, et ils l'appelèrent l'Arche. Ils clouaient, ils tapaient, ils cognaient : tic, tic, tic,

toc, toc, toc. Tout le monde se moquait de Noé et de sa famille qui fabriquaient un bateau au milieu de la terre.

Dieu dit à Noé : « L'Arche est finie. Vite, fais entrer les animaux, un mâle et une femelle de chaque espèce. Puis dépêche-toi de faire monter ta famille, car la pluie vient. » Elle est bonne la parole de Dieu.

L'eau se mit à tomber très fort pendant quarante jours et quarante nuits. Elle recouvrit la terre. Tout ce qui était vivant fut noyé. La méchanceté aussi fut noyée. La pluie cessa alors, et l'eau ne monta plus. Elle descendit. Le déluge était fini et le soleil revint avec un arc-en-ciel.

Lorsqu'il n'y eut plus d'eau sur la terre, Noé sortit de l'Arche avec sa famille et les animaux. La vie put recommencer comme avant, mais sans la méchanceté, car elle avait été noyée. Noé remercia Dieu dans sa prière devant le feu de son autel. Il lui offrit son plus bel agneau, et il dit au Seigneur : « Je ne t'oublierai jamais. » Dieu dit : « Que toi et tes fils ne m'oublient jamais, car la méchanceté reviendrait. Après chaque pluie, tu verras mon arc dans le ciel. Qu'il te rappelle que je ne veux pas la mort, mais la vie. Je ne recommencerai plus, mais surtout, ne m'oubliez jamais. » Elle est bonne la parole de Dieu. Elle fait vivre.

BABEL

Des années et des années plus tard, les hommes devenus nombreux étaient partout dispersés sur la terre entière. A cette époque, ils parlaient tous une même langue. Comme ils se comprenaient bien, ils s'entendaient bien, ils pouvaient faire, tous ensemble, des choses difficiles. Mais malheureusement, ils ne connaissaient plus Dieu et sa parole.

Tous les hommes se réunirent un jour dans une grande plaine très plate, appelée Babel. Ils se dirent : « Dieu ne sert à rien, on n'a pas besoin de lui. » Ils décidèrent alors de bâtir, sans lui, une très grande ville, avec une immense tour au milieu, aussi haute que le ciel. Et ils y habiteraient tous. Le soir même le travail commença : tic, tic, tic, toc, toc, toc.

Dieu dit : « Les hommes m'oublient encore une fois. Eh bien, je vais descendre et brouiller leur langue pour qu'ils ne se comprennent plus. » Il fit comme il avait dit. Les hommes ne se sont plus entendus et ils sont retournés chacun dans leur pays. Elle est vraie la parole de Dieu.

ABRAHAM

Abraham était un petit-fils de Noé. Un jour, Dieu lui dit : « Abraham, quitte ton pays, ta famille et la maison de ton père et va dans un pays que je te montrerai. » Abraham dit à Dieu : « Mais je ne sais pas où c'est. — Ne t'inquiète pas, dit Dieu, je suis avec toi et je te guiderai. Tu seras capable de marcher avec moi et de ne jamais m'oublier, tu deviendras l'homme le plus grand de la terre. Ta famille et ta richesse seront très grandes. Tout le monde pourra être comme toi. »

Abraham partit, comme Dieu le lui avait dit, avec sa femme Sarah, et Lot, son neveu. Il partit vers le pays de Canaan. Il emmena avec lui ses moutons, ses chèvres et ses vaches. Arrivé au pays de Canaan, Abraham construisit un autel. Et près du feu de son autel, il pria Dieu qui lui dit : « Tu vois ce beau pays. Un jour je le donnerai aux fils de tes fils. » Abraham dit merci à Dieu et continua son chemin.

Une nuit, Abraham était seul dehors. Il priait Dieu qui lui dit : « Continue ton grand voyage. Ne t'arrête pas. » Abraham lui dit : « Tu m'avais promis des enfants et je n'en ai pas eu. Ne suis-je pas maintenant trop vieux pour en avoir ? » « Non, dit Dieu, j'ai promis et ma parole fait ce qu'elle dit. Lève la tête et regarde les étoiles du ciel. Compte-les si tu peux, car ta famille sera aussi nombreuse qu'elles. » Abraham crut. Elle est bonne la parole de Dieu.

Un jour que le soleil était brûlant et qu'Abraham se reposait à l'entrée de sa tente, trois étrangers passèrent près de lui. Il les appela : « Eh, monsieur, viens donc te reposer sous mon toit. » L'étranger qui semblait être le chef accepta l'invitation. Abraham dit à Sarah : « Vite, prépare un bon repas avec des galettes, de la viande et notre meilleur fromage. »

Quand ils eurent fini le repas, l'étranger dit à Abraham : « Tu vas avoir un fils. » Sarah entendit la parole, et elle se mit à rire, car elle pensait dans son cœur : « C'est impossible, je suis bien trop vieille et mon mari aussi. » L'étranger répéta : « Tu vas avoir un fils. Quand je repasserai ici, l'an prochain, il sera né. » Abraham crut la parole de Dieu dite par l'homme.

Dieu fit ce qu'il avait promis. Abraham et Sarah eurent un fils dans leur vieillesse. Ils l'appelèrent Isaac, ce qui veut dire en hébreu : « Il a ri ». Elle est vraie la parole de Dieu.

Un jour, des rois étrangers firent la guerre aux rois de Canaan, et ils gagnèrent. Abraham apprit qu'ils avaient fait prisonnier son neveu Lot qui habitait Sodome. Il fut très triste. Alors il prit avec lui tous ses serviteurs et il rattrapa les rois étrangers. Il gagna la bataille et il sauva son neveu Lot. Sur le chemin du retour, Melchisédech, le roi de Salem, un étranger, sortit de sa ville et lui apporta du pain et du vin. Il lui dit cette parole de Dieu : « Béni sois-tu, Abraham, de la part du Dieu très-haut qui a fait le ciel et la terre. » Lot retourna vivre à Sodome.

Les trois hommes revinrent, comme ils l'avaient promis, après la naissance d'Isaac. Le Seigneur dit à Abraham : « Tu es mon ami, et je vais te dire mon secret : la ville de Sodome est pleine de méchanceté, car elle a oublié Dieu. Je vais la détruire. » Abraham dit à Dieu : « Je t'en supplie, ne détruis pas la grande ville. Ne fais pas mourir les hommes justes et bons. » Dieu dit : « Je les sauverai, je te le promets. »

Dieu fit pleuvoir sur la ville du soufre et du feu. Tout brûla. Les méchants habitants connurent la mort. Lot et sa famille étaient partis avant le feu. Dieu les avait sauvés, comme il l'avait promis. Elle est juste la parole de Dieu.

ISAAC

Après cela, Dieu se dit « Abraham ne m'a jamais oublié, je vais voir s'il croit vraiment en moi. » Des gens de Canaan avaient l'habitude, à cette époque, de tuer leur fils aîné sur un autel pour Dieu, car ils croyaient ainsi lui faire plaisir. Dieu dit à Abraham : « Prends ton fils, le fils unique que je t'ai donné, et offre-le-moi en sacrifice sur une montagne, dans le feu de ton autel. » Abraham se leva de bonne heure, sella son âne, prit du bois pour le feu. Il partit sur la montagne avec son fils Isaac.

Arrivé au pied de la montagne, Abraham mit le bois sur les épaules de son fils, tandis que lui portait le feu et le couteau. La montagne était haute, et ils montaient lentement. Tout d'un coup, Isaac s'arrêta de grimper et il dit : « On a le bois, on a le feu, on a le couteau, mais où est l'agneau pour le sacrifice ? » Abraham dit : « Ne t'inquiète pas, mon fils, Dieu verra. » Arrivé en haut de la montagne, Abraham construisit l'autel du sacrifice. Il y déposa le bois et il attacha son fils dessus.

Dieu dit : « Abraham, Abraham, arrête. Ne tue pas ton fils. Je sais maintenant que tu m'aimes vraiment ». Abraham détacha Isaac. Il leva les yeux, il vit tout près de lui un bélier qui s'était pris les cornes dans un buisson. Il alla le chercher, et il le mit à la place de son fils sur l'autel du sacrifice. Ils remercièrent Dieu.

Abraham et Isaac rentrèrent chez eux en chantant. Ils racontaient à tout le monde ce qui s'était passé. Elle est bonne la parole de Dieu.

RÉBECCA

Quand Abraham fut vieux, il appela le chef de ses serviteurs, et il lui dit :
« Nous vivons ici, en Canaan, au milieu des étrangers. Mon fils, Isaac, a
l'âge de se marier. Va à Nahor, notre ville, et ramène une femme de là-bas
pour mon fils. Mais je ne veux pas qu'il aille avec toi, car il ne reviendrait
pas. »

Le serviteur prit dix chameaux et il partit. Il eut soif, il s'arrêta près du
puits de Nahor, et il pria le Seigneur.

Alors qu'il priait, une jeune fille sortit de la ville avec sa cruche. Elle allait
chercher de l'eau à la source du puits. Elle s'appelait Rébecca et elle était
très belle. Le serviteur lui dit : « S'il te plaît, donne-moi à boire. » Elle lui
dit : « Bois. Je vais aussi donner à boire à tes chameaux. »

Quand elle eut fini, le serviteur se leva et lui mit aux poignets deux beaux
bracelets d'or. Puis il lui demanda : « Tu es la fille de qui ? » Elle répondit :
« Etranger, je suis Rébecca, fille de Béthuel, le neveu d'Abraham. » Alors
le serviteur se mit à genoux pour remercier Dieu. Il dit : « Béni soit le
Dieu d'Abraham. » Rébecca courut chez elle. Elle racontait ce qui s'était
passé.

Béthuel, le père de Rébecca lui dit : « Ce qui s'est passé vient de Dieu. » Il
demanda ensuite à sa fille : « Veux-tu être la femme de ton cousin

Isaac ? » Elle dit oui, et elle partit au pays de Canaan. Elle se maria avec Isaac et ils s'aimèrent beaucoup. Abraham mourut après avoir béni Isaac son fils.

Durant toute leur vie, Isaac et Rébecca n'ont jamais oublié Dieu. Ils eurent deux fils, des jumeaux : Esaü et Jacob. Esaü se moquait de Dieu, il préférait bien manger. Jacob, au contraire, priait souvent le Seigneur, comme ses parents le lui avaient appris. Il lui offrait ses plus beaux agneaux en sacrifice, dans le feu de son autel. Elle est bonne la parole de Dieu.

JACOB

Un jour, Esaü se mit en colère contre son frère. Il voulait même le tuer. Jacob avait peur. Isaac et Rébecca dirent à leur fils, Jacob : « Va vite te cacher dans le pays de notre famille, pour que ton frère ne te fasse pas de mal. Tu te marieras là-bas avec une femme du pays. N'oublie pas de prier Dieu quand tu seras seul. »

Jacob partit pour ce grand voyage. Une nuit, il dormait dehors, une grosse pierre lui servait d'oreiller. Il se passa quelque chose : il vit une grande lumière. Des anges de Dieu montaient et descendaient sur une échelle qui allait jusqu'au ciel. Le Seigneur était près de lui, au pied de l'échelle, et il lui disait : « Jacob, tu ne me connais pas. Je suis le Dieu d'Abraham ton grand-père, et d'Isaac ton père. Eux, ils me connaissent. Si tu ne m'oublies pas, je serai toujours avec toi. Je te garderai de tous les dangers. Tu auras beaucoup d'enfants et tout le monde voudra être comme eux ».

Tout d'un coup Jacob se réveilla. Il cria : « Seigneur, où suis-je ? Je ne savais pas que Dieu habitait ici. Cet endroit est terrible. » Alors, il se leva, il prit la pierre qui lui servait d'oreiller, il en fit un autel pour Dieu. Il dit cette prière : « Seigneur, j'ai écouté ta promesse, et je suis d'accord. Si tu restes avec moi, si tu me gardes de tous les dangers de ce long voyage, jamais je ne t'oublierai. »

Jacob repartit vers le pays de sa famille, mais il laissa debout la pierre, pour la retrouver à son retour et se souvenir de Dieu. Elle est bonne la parole de Dieu.

Jacob arriva dans le pays de ses parents. Il y avait là un puits qui était fermé avec une très lourde pierre. Des troupeaux de moutons attendaient avec leurs bergers autour du puits. Ils attendaient pour boire. Il manquait un dernier troupeau qui allait bientôt venir. Jacob dit aux bergers : « Connaissez-vous la famille d'Abraham ? — Oui, dirent-ils. Regarde. Voilà justement Rachel, une petite cousine. Elle vient faire boire ses moutons. » Dès que Jacob vit la petite bergère, il courut vers le puits et roula la grosse pierre qui le bouchait. Il donna ensuite de l'eau à tous les moutons de sa famille. L'eau était belle et claire. Après cela, Jacob embrassa Rachel. Il lui dit : « Je suis Jacob, le petit-fils d'Abraham ton cousin. »

Jacob habita longtemps dans la maison de son oncle. Il se maria avec Rachel sa cousine. Il eut douze fils. Les deux derniers s'appelaient Joseph et Benjamin. Jacob les aimait beaucoup.

Un jour, Jacob voulut rentrer au pays de Canaan. Il quitta la maison de son oncle avec sa famille et ses troupeaux. Avant d'arriver, ses serviteurs lui dirent : « Ton frère Esaü te cherche de l'autre côté du torrent. Il marche vers toi avec quatre cents soldats ». Jacob eut très peur. Il n'avait pas oublié la colère de son frère quand il s'était enfui de la maison de ses parents.

Jacob appela trois de ses serviteurs. Il leur dit : « Prenez chacun des moutons, des vaches et des ânes. Traversez le torrent et allez donner ces bêtes en cadeau à mon frère Esaü. Dites-lui que je viens en ami et non en ennemi. » Après cela, Jacob fit traverser le torrent à sa famille.

Jacob, lui, resta seul toute la nuit au bord du torrent. Il avait peur. Quelqu'un s'approcha en silence pour se battre avec lui. Ils roulèrent ensemble dans la poussière jusqu'à la fin de la nuit. Jacob reçut un coup à la hanche et il, avait mal. Il demanda : « Bénis-moi, Seigneur. » L'homme lui dit : « Tu t'appelles Jacob, tu t'appelleras désormais Israël parce que tu as la force de Dieu. »

Le soleil se levait quand Jacob traversa le torrent à son tour. Il rejoignit sa famille et ses troupeaux au pays de Canaan, mais il boitait de la hanche.

Son frère Esaü arrivait alors avec ses soldats. Esaü courut vers Jacob. Il se jeta au cou de son frère et il l'embrassa. Ils pleuraient tous les deux.

Jacob planta sa tente dans le pays de Canaan comme Abraham son grand-père et Isaac son père. Il vivait là avec ses douze fils au milieu des païens qui ne connaissaient pas Dieu. Jacob aimait son fils Joseph plus que tous ses autres fils, car Joseph priait Dieu.

JOSEPH

Dieu aimait les prières de Joseph, et il lui parlait dans les songes. Ses frères étaient jaloux de lui, ils le détestaient. Un jour que Joseph leur apportait de la nourriture dans les champs, ils eurent envie de le tuer. Ils le mirent dans un puits sans eau. Des marchands d'esclaves passaient par là pour aller en Egypte. Alors les frères le sortirent du puits où il était presque mort, et ils le vendirent aux marchands. En rentrant à la maison, ils dirent à leur père Jacob : « Une bête féroce a mangé le petit Joseph. » Jacob et Rachel eurent beaucoup de peine. Ils pleurèrent longtemps la mort de leur fils.

Mais Joseph n'était pas mort. Dieu ne l'oubliait pas. Un officier du roi d'Egypte avait acheté Joseph. Il était bon avec lui. Mais sa femme était méchante. Un jour elle dit à l'officier, son mari : « Joseph vient m'embêter dans ma chambre. Regarde, il a même laissé son écharpe. » La méchante femme avait volé l'écharpe de Joseph. L'officier se mit en colère, et il fit jeter Joseph dans la prison du roi.

Le roi d'Egypte était puissant, et tout le monde avait peur de lui. Il avait

32

fait enfermer dans sa prison deux de ses officiers. Une nuit, ils eurent tous les deux un songe étrange. Et le matin, ils étaient tristes. Joseph leur demanda : « Pourquoi votre tête est-elle triste ? » Ils lui dirent : « Cette nuit, nous avons eu un songe, et personne n'est là pour nous l'expliquer. » Joseph leur dit : « Racontez-les-moi. »

« Devant moi, dit le premier, une vigne pousse. Trois branches apparaissent. Au bout des branches, je vois des bourgeons qui deviennent des fleurs. A la fin, une grappe de raisin remplace les fleurs. Ensuite quelqu'un arrive. C'est moi. J'écrase les grappes dans ma main et leur jus tombe dans un verre. Je cours le porter au roi. » Joseph dit : « Ton songe est simple. Dans trois jours, tu seras libéré et tu serviras à boire au roi. »

L'autre officier dit : « Sur ma tête, je vois trois corbeilles de gâteaux. Ce sont les gâteaux du roi. Des corbeaux arrivent, ils les mangent tous. » Joseph dit : « Ton songe est simple. Dans trois jours, le roi d'Egypte te fera pendre. »

Tout se passa comme Joseph avait dit. Elle est vraie la parole de Dieu.

Le roi d'Egypte était triste, parce que, lui aussi, avait deux songes qui l'empêchaient de dormir. Personne n'était capable de les lui expliquer, pas même ses magiciens. On lui dit que Joseph savait expliquer tous les songes. Il l'appela et lui demanda : « Peux-tu m'expliquer mes deux songes ? » Joseph lui dit : « Je le peux, mais je te préviens, ils viennent de Dieu et le Seigneur fait toujours ce qu'il dit. Veux-tu vraiment savoir la parole de Dieu ? » Le roi dit à Joseph : « Oui, je t'en prie, explique-moi mes deux songes. Je vais te les raconter. Voici le premier : Sept vaches sortent de la rivière. Elles sont belles, elles sont grasses et elles mangent l'herbe de mes prairies. Ensuite sept vaches maigres sortent de la rivière. Elles sont laides. Je vois leurs os sous leur peau. Tout à coup, elles se jettent sur les belles vaches grasses et elles les avalent. »

« Quel est ton deuxième songe ? » dit Joseph. « C'est dans un champ de blé, dit le roi. Une tige monte vers le ciel. Je vois sept gros épis pleins de blé qui poussent sur elle. Je vois ensuite sept autres épis sur la tige. Ils sont vides de blé, et noirs parce qu'ils sont brûlés par le soleil. Tout à coup, les sept épis vides et noirs se jettent sur les épis pleins et ils les avalent. Aucun de mes magiciens n'a pu m'expliquer ces deux songes. »

Joseph dit au roi : « Ces deux songes disent la même chose : Les sept vaches grasses et les sept beaux épis représentent sept années où ton pays aura beaucoup de nourriture. Les sept vaches maigres et les sept épis vides et noirs représentent sept autres années où il n'y aura plus rien à manger. Dieu a décidé cela. Et cela se fera. » Elle est vraie la parole de Dieu.

Le roi d'Egypte dit à Joseph : « Dieu est avec toi. Je te nomme premier ministre. Tu dirigeras le pays pour que mon peuple ait toujours à manger, et qu'il ne meure jamais de faim, même pendant les années sans nourriture. »

Joseph devint premier ministre du roi, et, pendant les sept bonnes années, il fit des réserves dans toutes les villes du pays. Il avait ramassé autant de blé que les grains de sable au bord de la mer. On ne pouvait plus les compter.

Quand les sept bonnes années furent passées, il y eut les sept mauvaises années. Et pendant ces sept mauvaises années, il n'y eut plus rien à manger sur toute la terre. Tout le monde venait en Egypte chercher de la nourriture.

Au pays de Canaan, Jacob, le père de Joseph, dit à ses fils : « J'ai appris qu'il y avait du grain à vendre en Egypte. Allez en acheter pour que nous ne mourions pas. Les frères de Joseph partirent alors en Egypte. Arrivés là-bas, ils se mirent à genoux devant Joseph, le premier ministre, pour lui demander du blé. Mais ils ne reconnaissaient pas leur frère. Joseph, lui, les reconnut et leur dit : « Vous êtes des espions. » Et il les jeta tous en prison.

Le troisième jour, le matin de très bonne heure, Joseph dit à ses serviteurs : « Sortez les espions de la prison, et servez-leur un bon repas. » Les frères de Joseph mangèrent le repas, mais ils ne comprenaient rien de ce qui se passait.

Joseph vint alors les trouver et leur demanda : « Votre vieux père vit-il encore ? » Ils lui dirent que oui, alors Joseph se cacha le visage et il pleura tout haut. Il dit : « Je suis Joseph, votre frère, que vous avez vendu en Egypte. N'ayez pas peur. Ne soyez pas tristes. Dieu a voulu cela pour que notre famille ne meure pas. Allez vite dire à notre père ce que Dieu a fait pour nous. » Et Joseph embrassa ses frères.

Quand le roi d'Egypte sut que les frères de Joseph étaient là, il dit à Joseph : « Que ta famille vienne habiter ici. Je vous donne la meilleure terre. Voici des chariots pour aller chercher votre père et toute sa famille. »

Jacob vint habiter en Egypte avec toute sa famille et il remercia Dieu devant le feu de son autel. Dieu lui dit : « Quand tu seras en Egypte, ne m'oublie pas car je suis avec toi. » Elle est bonne la parole de Dieu.

La famille de Jacob resta longtemps en Egypte et elle devint très grande, mais elle oublia Dieu.

MOÏSE

Des années et des années plus tard, le roi d'Egypte et Joseph étaient morts depuis longtemps. Jacob et ses fils aussi étaient morts. Plus personne ne se souvenait de ce qu'avait fait Joseph. Sa famille, devenue très nombreuse, était « le peuple des Hébreux ».

Le nouveau roi d'Egypte ne se souvenait pas non plus de Joseph. Il dit : « Ces étrangers, les Hébreux, seront mes esclaves. Ils construiront mes châteaux et mes forteresses ». Il dit aussi : « Ils sont beaucoup trop nombreux. Je veux que tous les garçons qui naissent soient tués. »

Une femme des Hébreux eut un petit garçon. Elle ne voulait pas qu'il soit tué. Elle descendit au bord du fleuve avec son bébé et un panier. Elle mit le bébé dans le panier qu'elle posa dans l'eau au milieu des roseaux. Le panier flottait comme un bateau. La maman se cacha pour voir ce qui allait se passer.

La fille du roi descendait vers le fleuve pour se baigner. Quand elle vit le panier et le petit bébé, elle s'écria : « Oh, c'est un petit Hébreu. Je vais le garder. » Elle prit le bébé dans ses bras et elle l'emmena dans le palais du roi. Le roi d'Egypte aima le petit garçon comme son fils, et on lui donna le nom de Moïse, ce qui veut dire « sauvé des eaux ».

Moïse devint grand. Il vit le malheur de sa famille et il voulut défendre ses frères. Un jour il tua même un gardien qui fouettait un homme de son peuple. Le roi apprit cela et il voulut le tuer. Alors Moïse se sauva dans le désert.

A ce moment-là, les Hébreux se rappelèrent qu'ils avaient oublié le Dieu de leurs Pères, Abraham, Isaac et Jacob. Ils le prièrent de les délivrer du malheur.

Dans le désert, Moïse était devenu berger. Il gardait des moutons. Un jour qu'il faisait paître son troupeau près de la montagne du Sinaï, il vit une grande flamme de feu qui sortait d'un buisson. Il s'approcha pour voir. Le buisson était en feu, mais il ne brûlait pas. Moïse avança encore pour mieux voir. La voix de Dieu l'appela du milieu du feu : « Arrête, Moïse. C'est moi le Dieu d'Abraham, d'Isaac et de Jacob. J'ai entendu la prière de mon peuple et j'ai vu son malheur. Mon peuple quittera l'Egypte et je

lui donnerai un bien plus beau pays. Va voir le roi d'Egypte et dis-lui, de ma part, qu'il laisse partir les Hébreux. » Moïse dit : « Le roi d'Egypte va me tuer. — Non, dit Dieu. Va. N'aie pas peur, je suis avec toi. Vous sortirez tous de l'esclavage et vous viendrez me remercier sur cette montagne. » Elle est bonne la parole de Dieu.

Moïse alla trouver le roi d'Egypte de la part de Dieu. Le roi lui dit : « Je ne connais pas ton Dieu. Vous resterez, car j'ai besoin d'esclaves. » Dieu envoya alors beaucoup de malheur dans le pays. Mais le roi d'Egypte ne voulait toujours pas laisser partir les Hébreux.

Dieu dit à Moïse : « Cette nuit, vous quitterez l'Egypte, car je vais envoyer le plus grand des malheurs. Je vais tuer les garçons premiers-nés des Egyptiens. Vous partirez à ce moment-là. Mettez sur la porte de vos maisons du sang d'agneau, car le sang représente la vie. Je ne tuerai pas dans les maisons marquées avec ce sang. »

Dieu dit aussi : « Laissez en Egypte votre vieux pain et votre vieux levain. Laissez-les avec vos méchancetés. Mangez, pendant sept jours, du pain nouveau. Ce sera un pain de misère, fait sans levain. Vous mangerez ce

pain plat et sans goût pour vous purifier, car je vais être avec vous dans le désert. Allez, préparez-vous vite. »

Ce soir-là, les Hébreux mangèrent l'agneau en famille. Ils mangèrent aussi le pain sans levain. Ce fut une grande fête dans chaque maison. Tous étaient dans la joie. Tous étaient si pressés par Dieu qu'ils mangèrent debout, le bâton à la main. Tous étaient prêts à partir.

Dieu fit ce qu'il avait dit. En cette nuit voulue par Dieu, la foule nombreuse des Hébreux partit en chantant du pays de l'esclavage. Elle est bonne la parole de Dieu.

Ils arrivèrent devant la mer des Roseaux, ils ne pouvaient pas passer. Dieu écarta l'eau devant eux, et ils traversèrent la mer. Le lendemain matin, au lever du soleil, ils étaient arrivés de l'autre côté de l'eau. Le roi d'Egypte et ses cavaliers qui les poursuivaient avaient été noyés, car les eaux s'étaient refermées sur eux. Les Hébreux virent cela et ils firent une grande fête pour Dieu. Ils chantaient : « Dieu nous a sauvés. Il a jeté à la mer chevaux et cavaliers. » Ils dansaient, tant ils étaient heureux de ne plus être des esclaves.

Depuis ce jour, chaque année, le peuple de Dieu célèbre la fête du passage, c'est-à-dire la fête de Pâques. Ils mangent l'agneau et le pain sans levain. Elle est bonne la parole de Dieu. Elle fait vivre.

Le peuple repartit dans le désert, et il marcha longtemps encore. Un jour, il n'y eut plus rien à manger. Tous avaient faim. Tous dirent à Moïse : « Dieu aurait dû nous laisser en Egypte. Nous ne serions pas morts de faim. »

Dieu dit à Moïse : « Ce peuple ne croit pas en moi. Il m'oublie. Je vais faire pleuvoir du pain et de la viande du haut du ciel. Vous verrez que Moi, je suis votre Dieu. »

Le soir venu, un vol de cailles s'abattit du ciel sur le camp des Hébreux. Tous mangèrent de la viande. Le lendemain matin, le sol du désert était

couvert de petits grains. C'était la manne. Elle était blanche. Elle avait un goût de galette de miel. Moïse dit au peuple : « Ne faites pas de réserves. Dieu ne veut pas. Prenez ce qu'il vous faut pour aujourd'hui, car le Seigneur pense à vous pour demain. » Le peuple sut ainsi que Dieu était là près de lui. Elle est bonne la parole de Dieu.

Le peuple marcha longtemps encore dans le désert. Un jour, l'eau vint à manquer. Tous avaient soif. Tous dirent à Moïse : « L'Egypte était mieux. Là-bas, nous ne serions pas morts de soif. »

Moïse pria encore : « Seigneur, ils veulent me tuer. » Dieu dit à Moïse : « N'aie pas peur. Va au rocher qui est près de vous. Tape dessus trois fois avec ton bâton. Une source d'eau vive en coulera, et mon peuple boira. » La parole de Dieu fit ce qu'elle avait dit. Le peuple sut ainsi que Dieu était là près de lui. Elle est bonne la parole de Dieu.

Trois mois après la sortie d'Egypte, le peuple arriva au pied de la montagne du Sinaï. Il installa son camp en face de la montagne et Moïse y monta. Dieu lui dit : « Je vais venir sur cette montagne, devant le peuple, pour lui donner mes dix paroles. Tous me verront dans le feu et la fumée. Que tous se préparent à ma visite. Que tous lavent leurs vêtements. Que tous soient purs. Tu diras : 'Dieu nous a sauvés de l'esclavage de l'Egypte. Si nous obéissons à ses dix paroles, nous serons son peuple, et Dieu restera toujours près de nous'. » Le Seigneur fit comme il avait dit. Elle est bonne la parole de Dieu.

Moïse remonta sur la montagne, pour aller chercher les dix paroles de Dieu. Le peuple d'Israël attendait en bas qu'il revienne, mais Moïse ne revenait pas. Le peuple dit alors : « Ce Moïse qui nous a fait sortir d'Egypte a disparu. Peut-être qu'il ne reviendra pas. Faisons-nous un dieu comme il y en a en Egypte. » Le peuple prit alors tous ses anneaux et toutes ses bagues en or. Il les fondit sur le feu et il en fit une grande statue d'or. C'était un veau. Alors tous criaient : « Voici notre Dieu, celui qui nous a fait sortir d'Egypte. » Et ils se mettaient à genoux devant lui.

Dieu dit à Moïse : « Descends vite. Ton peuple a fait un grand péché. Il a fabriqué un veau d'or et il crie devant lui : 'Voici notre Dieu, celui qui nous a fait sortir d'Egypte.' Ma colère est forte contre lui. Je vais le faire mourir. » Moïse se jeta à genoux, il supplia le Seigneur : « Tu as dit

autrefois à notre père Abraham qu'il aurait autant de fils que les étoiles du ciel. Ne fais pas mourir les fils d'Abraham, car personne ne croirait plus en toi. N'oublie pas ta promesse. » Dieu ne fit rien à cause de la prière de Moïse. Elle est bonne la parole de Dieu.

Moïse descendit de la montagne. Quand il arriva en bas, il entendit les cris du peuple. Il vit le veau d'or. Il courut vers la statue. Il la poussa dans le feu. Elle tomba et elle fondit complètement. Alors Moïse se tourna vers le peuple et il dit : « Vous avez fait le plus grave des péchés. Certainement Dieu vous punira. »

Les dix paroles de Dieu étaient écrites sur des pierres. Ces pierres étaient rangées dans une sorte de petite armoire appelée l'Arche d'Alliance. Les Hébreux la portaient devant eux quand ils marchaient. Ils la mettaient sous une tente qui était comme une église, quand ils s'arrêtaient.

Le peuple avançait toujours dans le désert, en suivant l'Arche d'Alliance. Il approchait maintenant de la terre promise par Dieu. Mais quand il avait faim et quand il avait soif, il oubliait le Seigneur, et il se plaignait.

Dieu envoya alors, contre les fils d'Israël, des serpents au venin mortel. Ceux qui étaient piqués par ces serpents mouraient tout de suite. Le peuple dit à Moïse : « Nous avons péché contre Dieu. Demande au Seigneur de nous sauver des serpents. »

Moïse pria le Seigneur qui lui dit : « Fais un serpent en airain, cloue-le sur un grand bois et mets-le bien haut pour que tous le voient. Si un serpent vous mord, regardez vite le serpent d'airain, et vous serez guéris. » Moïse fit ce que Dieu avait dit. Ceux qui étaient mordus regardaient le serpent d'airain, et ils étaient guéris. Elle est bonne la parole de Dieu.

Le peuple marcha longtemps encore dans le désert, vers la terre promise par Dieu. Un jour enfin, le Seigneur dit à Moïse : « Envoie des hommes voir comme est beau le pays de Canaan. C'est le pays que je vous donnerai, car je vous l'ai promis. »

Moïse envoya des visiteurs au pays de Canaan. Ils partirent, et ils revinrent au bout de quarante jours. Deux des hommes portaient une énorme grappe de raisin. Les autres rapportaient des fruits délicieux dans des paniers. Le peuple était dans la joie. Il remerciait Dieu du cadeau qu'il lui avait fait.

Cependant les visiteurs ne disaient rien. Ils étaient tristes. Le peuple leur demanda : « Pourquoi votre cœur n'est-il pas comme le nôtre dans la joie ? » Ils répondirent : « Ce beau pays est occupé par des géants forts et bien armés. Ils nous tueront. »

Alors, le peuple se révolta. Tous poussèrent des cris contre Moïse. Tous lui dirent : « Tu te moques de nous. Dieu est un menteur. » Moïse dit :

« Gardez courage, car Dieu nous a promis cette terre merveilleuse où coulent le lait et le miel. » Tous redirent à Moïse : « Tu te moques de nous. Dieu est un menteur. »

La colère de Dieu fut aussi forte que le tonnerre du ciel. Dieu dit : « Devrais-je faire mourir ces hommes qui ont si peu de foi ? » Moïse se jeta à genoux et il supplia encore le Seigneur : « Si tu fais mourir ce peuple, et si tu ne lui donnes pas la terre que tu lui as promise, tous les païens diront : 'Leur Dieu n'existe pas'. » Le Seigneur oublia sa colère. Elle est bonne la parole de Dieu.

Le roi des ennemis s'appelait Balac. Il avait une grande armée qui barrait la route aux Hébreux. Il disait : « Je les empêcherai de passer. Ils n'iront pas dans le beau pays de Canaan. »

Le roi se dit : « Ces Hébreux sont très forts. Je veux savoir ce que Dieu en pense. » Balac avait entendu parler de Balaam, le mage. C'était un païen qui connaissait Dieu. Ce mage habitait très, très loin.

Le roi Balac appela un soldat et il lui dit : « Va chez Balaam, le mage, et

apporte-lui tout cet argent. Dis-lui que je veux le voir. » Le soldat partit chez Balaam, il lui donna l'argent du roi. Il lui dit : « Le roi des ennemis veut te voir. »

Balaam monta sur son ânesse et il partit voir le roi. L'ânesse marchait vite. Juste avant d'arriver, ils devaient prendre un chemin creux qui passait entre deux montagnes. Tout à coup, au milieu des deux hautes montagnes, l'ânesse s'arrêta. Elle ne voulait plus avancer. Alors son maître, Balaam, se mit à la taper, mais elle n'avançait pas. Il la tapa encore plus fort, elle n'avançait toujours pas. Il la tapa très fort. Alors l'ânesse se roula par terre par dessus son pauvre maître. Balaam ne comprenait pas. Jamais son ânesse n'avait fait cela. Il remonta dessus. Il vit alors l'ange de Dieu qui était là, juste devant lui, sur le chemin. Il barrait le passage.

Balaam descendit de son ânesse et il se mit à genoux devant l'ange. Il lui dit : « Que veux-tu, Seigneur ? » L'ange de Dieu lui dit : « Pourquoi as-tu tapé ton ânesse ? » Balaam répondit : « Elle ne voulait pas avancer et je ne savais pas que tu étais devant moi. » « Eh bien, dit l'ange de Dieu, tu diras au roi Balac tout ce que je te dirai, rien de plus, rien de moins. Je te dirai tout dans ton cœur. »

Balaam remonta sur son ânesse et il repartit. Il arriva devant le roi des ennemis. Il lui dit : « Bonjour, roi Balac. » Le roi lui dit : « Vois-tu ces Hébreux, là-bas dans la plaine ? » Balaam dit : « Oui, je les vois. Ils ne sont pas très nombreux. » Balac dit : « Vont-ils mourir ? » Balaam écouta Dieu dans son cœur et il répondit : « Oh non, ils vivront tous. »

Balac n'était pas content. Il avait donné de l'argent à Balaam pour qu'il dise qu'ils mourraient. Il lui dit encore : « Vois-tu ces Hébreux, là-bas dans la plaine ? — Oui, dit Balaam, je les vois. » Le roi lui demanda : « Seront-ils un jour un grand peuple ? » Balaam écouta Dieu dans son cœur, et il dit : « Oh, oui. Je vois un grand peuple qui couvrira la terre. »

Balac devint rouge de colère. Il dit à Balaam : « Viens avec moi. » Il emmena le mage tout en haut de la montagne. Le roi dit : « Vois-tu ces Hébreux, là-bas dans la plaine ? — Oui, dit Balaam, je les vois mieux qu'avant. » Balac demanda : « Que deviendront-ils ? » Balaam écouta Dieu dans son cœur. Il dit : « Je vois un homme qui va venir. Il sera une étoile brillante dans le ciel. Il sera le roi de la terre et tous les pays du monde se mettront à genoux devant lui. » Elle est vraie la parole de Dieu.

Balaam remonta sur son ânesse. Il repartit très loin, dans son pays. Le peuple des Hébreux avait repris sa marche dans le désert vers le pays de Canaan. Il allait rencontrer bientôt les ennemis.

JOSUÉ

Un jour les ennemis vinrent attaquer les fils d'Israël. Ces ennemis étaient nombreux et bien armés. Moïse dit à Josué son ami : « Prends avec toi les hommes les plus courageux et combats ces païens. Moi, je monte sur la montagne et je prie Dieu pendant ce temps-là. » La bataille commença. Quand Moïse levait les bras, comme une croix vers le ciel, le peuple gagnait. Quand Moïse baissait les bras, à cause de la fatigue, le peuple perdait le combat. Alors deux hommes restèrent près de Moïse pendant qu'il priait. Ils lui tenaient les bras levés vers le ciel. Au coucher du soleil, Josué avait gagné la bataille. Les ennemis se sauvèrent en courant. Le peuple sut ainsi que Dieu était là, près de lui. Elle est forte la parole de Dieu.

Le peuple approchait du pays de Canaan. Un jour Moïse monta en haut du mont Nébo qui est juste devant la terre promise. Dieu lui dit : « Tu as marché dans le désert pendant quarante ans. Regarde maintenant, devant toi, le pays que je vous ai promis quand vous sortiez d'Egypte. Il est à vous. Toi, tu n'y entreras pas. Tu mourras sur cette montagne, à cause du peu de foi du peuple. » Dieu dit encore : « Fais venir ici ton ami Josué. Dis-lui : 'Le Seigneur t'a choisi pour me remplacer et pour faire entrer le peuple dans la terre promise'. »

Moïse appela Josué avant de mourir. Il lui dit : « C'est toi qui me remplaceras. Tu feras entrer le peuple dans la terre promise par le Seigneur. Sois fort, et n'oublie jamais que Dieu marche devant toi. » Elle est bonne la parole de Dieu.

Josué et le peuple s'arrêtèrent devant la rivière qui est juste à la fin du désert. C'est le Jourdain. Dieu fit arrêter l'eau. L'Arche d'Alliance traversa d'abord le Jourdain, et le peuple la suivit sans se mouiller. Il arriva alors devant la ville de Jéricho.

Jéricho était une ville forte et bien défendue derrière de solides murailles. Dieu dit à Josué : « Tournez pendant sept jours en priant autour de la ville. Ce sera une procession. Sept trompettes marcheront devant avec les prêtres en habit de fête. Les trompettes sonneront très fort. Derrière elles, vous mettrez l'Arche d'Alliance qui contient mes paroles. Tournez ainsi pendant sept jours. Le septième jour vous ferez encore sept tours. Et au septième tour, le peuple poussera un grand cri et les murailles tomberont. »

Le septième jour, au septième tour, les murailles de la ville s'écroulèrent et le peuple entra dans Jéricho. Dieu avait tenu sa promesse. Elle est vraie la parole de Dieu.

GÉDÉON

Le peuple des Hébreux habitait maintenant le beau pays de Canaan qu'on appelle Israël. Le peuple oublia Dieu, tant il était bien dans ce pays. Alors des voleurs vinrent chaque année en Israël et ils prenaient le blé et les légumes que le peuple récoltait. Ils prenaient tout, et ils ne laissaient rien au peuple qui avait très faim. Les voleurs prenaient aussi les moutons, les bœufs et les ânes. Le peuple n'avait plus rien. Les prophètes de Dieu disaient : « N'oubliez pas le Seigneur. Priez-le. Certainement, il nous sauvera. » Personne ne les écoutait. Le peuple préférait se mettre à genoux devant le faux dieu Baal qui était celui des païens.

Les fils d'Israël essayaient de cacher leur nourriture dans les grottes des montagnes et dans les trous qu'ils creusaient. Mais les voleurs venaient juste au moment de la récolte et le peuple n'avait pas le temps de cacher sa nourriture. Ce malheur dura sept années.

Alors le peuple d'Israël se souvint de Dieu et pria. Il lui demanda de le sauver des voleurs. Dieu entendit la prière de son peuple. L'ange du Seigneur arriva. Il s'assit sous l'arbre, devant la maison de Gédéon, le

soldat. Il dit : « Bonjour Gédéon, vaillant guerrier. Dieu est avec toi. »
Gédéon répondit : « Le malheur est avec nous, mais pas Dieu. Nos parents
nous avaient raconté les grandes choses que le Seigneur a faites autrefois
pour son peuple quand il l'a fait sortir d'Egypte. Mais cela n'existe plus. »
Dieu dit : « Crois en moi. Avec ma force tu chasseras les voleurs du pays
que je vous ai donné. Je serai avec toi et tu gagneras. »

Gédéon prit un chevreau et il l'offrit au Seigneur dans le feu de son autel.
Dieu lui dit : « Cette nuit tu détruiras l'autel du faux dieu Baal. » Gédéon
se leva au milieu de la nuit. Il alla sur la place du village et il détruisit
l'autel du faux dieu Baal.

Le lendemain matin, les gens du village sortirent de leurs maisons et ils
virent l'autel complètement détruit. Ils étaient en colère. Ils se dirent :
« C'est Gédéon qui a fait cela, nous allons le tuer. » Quand ils arrivèrent
devant la maison de Gédéon, son père sortait. Il leur dit : « Vous voulez
tuer mon fils. Votre dieu Baal n'est-il pas capable de se venger tout seul ?
S'il est vraiment vivant, il tuera lui-même mon fils. » Les gens se dirent :
« Il a raison. » Ils retournèrent au village.

Le moment de la récolte arriva. Comme tous les ans, l'armée des voleurs
revint camper dans le pays de Canaan. L'esprit de Dieu entra dans
Gédéon qui se dit : « Je vais réunir une grande armée. » Gédéon courut

dans tout le pays. Il sonnait de la trompette et il criait partout : « Venez tous avec vos armes. Nous allons chasser les voleurs. » Tous arrivaient de partout et se préparaient à la bataille.

Gédéon était tout seul dans sa tente. Il réfléchissait. Il pensait en lui-même : « Si Dieu n'existait pas, le peuple se ferait battre et ce serait de ma faute. » Il dit à Dieu : « Je voudrais être sûr que tu existes, alors je vais te demander une preuve : Je mets cette peau de mouton devant ma tente. Si demain matin elle est mouillée par la rosée, et si l'herbe autour est sèche, je saurai, Seigneur, que tu existes. » Le lendemain matin, la peau était mouillée et l'herbe était sèche. Gédéon dit encore à Dieu : « Ne te mets pas en colère, mais je ne crois pas beaucoup. Je mets cette peau de mouton devant ma tente. Si demain matin elle est sèche, et que l'herbe autour est mouillée, je saurai que tu existes vraiment ». Le lendemain matin, la peau était sèche, et l'herbe était mouillée.

Gédéon partit avec toute son armée pour combattre les voleurs. Il était content, parce que son armée était grande et forte. Dieu dit à Gédéon : « Ton armée est beaucoup trop forte. Si tu gagnes, tout le monde croira que c'est ton armée qui t'a fait gagner. Personne ne croira en moi. Renvoie chez eux la moitié de tes soldats. » Gédéon renvoya chez eux la moitié de ses soldats. Dieu dit à Gédéon : « Ton armée est encore trop forte. Tu as trop de soldats. » Gédéon renvoya chez eux d'autres soldats. Il ne lui restait plus qu'une toute petite armée.

Cette nuit-là, Dieu dit à Gédéon : « Va dans le camp des voleurs. Ne te fais pas voir, et écoute ce qu'ils disent. » Il y alla en silence. Il entendit les voleurs parler dans leurs tentes. Ils se disaient : « Ce Gédéon, il va tous nous tuer. »

Alors Gédéon courut chercher sa petite armée. Il donna des trompettes, des cruches vides et des torches enflammées à tous ses soldats. Il leur dit : « Mettez les torches dans les cruches pour qu'on ne voie pas le feu, et venez avec moi. Nous allons attaquer l'armée des voleurs. » Il était minuit quand ils arrivèrent au camp. Les voleurs dormaient. Les soldats sortirent alors les torches des cruches et ils sonnaient de la trompette. Le camp des voleurs était entouré de flammes et de bruit. Les voleurs couraient partout en poussant des cris. Ils se tuaient entre eux, tant ils avaient peur. Ils ne sont jamais revenus dans le beau pays de Canaan. Elle est bonne la parole de Dieu.

Le peuple d'Israël remercia Dieu. Gédéon fut roi en Israël jusqu'à sa mort. Il fit détruire les autels du faux dieu Baal dans tout le pays. Le peuple put vivre dans la paix. Gédéon mourut très vieux.

SAMSON

Le peuple d'Israël oublia encore Dieu, et il reconstruisit les autels du faux dieu Baal. Les Philistins envahirent le beau pays de Canaan. Ils venaient de la mer. Ils chassaient les gens de leurs maisons et de leurs champs. Ils voulaient habiter à leur place. Dieu les laissa faire pendant quarante ans.

Une famille n'oubliait pas Dieu. Elle voulait un enfant, mais elle ne pouvait pas en avoir. La femme avait souvent prié le Seigneur avec son mari. L'ange du Seigneur lui apparut et lui dit : « Bientôt tu vas avoir un enfant. Mais écoute bien : surtout, ne lui coupe jamais les cheveux, car ton fils est pour Dieu. C'est lui qui a été choisi pour sauver Israël de ses ennemis. » La femme fut remplie de joie, et elle courut dire la bonne nouvelle à son mari. Quand le mari apprit cela, il fit brûler un chevreau dans le feu de son autel. Il remercia Dieu de sa parole.

La femme mit au monde le fils promis par Dieu. Elle le nomma Samson. L'enfant grandit et devint très fort.

Samson aimait une fille des Philistins, mais eux ne voulaient pas de ce mariage. Ils cachèrent alors la femme et la marièrent à un autre homme. Quand Samson apprit cela, il devint rouge de colère. Il dit : « Je vais leur faire du mal, parce qu'ils m'ont fait du mal. »

Les Philistins vinrent trouver les gens d'Israël. Ils dirent : « Attachez Samson et donnez-le-nous. » Le peuple qui avait peur des Philistins, alla chercher Samson dans sa grotte. Samson fut attaché avec de solides cordes et le peuple l'emmena au camp des ennemis. A l'arrivée chez les Philistins, l'esprit de Dieu vint sur Samson qui, tout à coup, craqua ses cordes. Samson ramassa par terre une mâchoire d'âne, il s'en fit une arme, il se jeta sur les Philistins et il abattit mille hommes. Ensuite il remercia Dieu.

Samson aima une femme qui se nommait Dalila. Les Philistins l'apprirent. Ils dirent à Dalila : « Si tu découvres le secret de Samson, nous te donnerons beaucoup d'argent. »

Dalila dit à Samson : « Dis-moi d'où vient ta grande force. » Samson répondit : « Si on m'attache avec sept cordes, je perdrai ma puissance. Je serai alors comme un homme normal. » Dalila dit aux Philistins : « Samson vient me voir ce soir. Quand il dormira, je l'attacherai avec sept cordes, et vous pourrez venir le prendre. » Dalila attacha Samson avec sept cordes. Les Philistins arrivèrent. Dalila cria : « Attention, Samson, voilà tes ennemis. » Samson pria le Seigneur. Il dit : « Sauve-moi. » L'esprit de Dieu vint sur lui. Alors Samson craqua les cordes et les Philistins s'enfuirent. Personne ne pouvait savoir d'où venait la force de Samson.

Dalila dit à Samson : « Tu t'es moqué de moi. Tu m'as menti. Quel est ton secret ? » Samson dit : « Il fallait sept cordes neuves qui n'aient jamais servi. » Dalila recommença : Samson s'endormit et elle l'attacha avec sept

cordes neuves qui n'avaient jamais servi. Les Philistins arrivèrent. Dalila cria : « Attention, Samson, voilà tes ennemis. » Samson dit au Seigneur : « Sauve-moi. » L'esprit de Dieu vint sur lui. Alors Samson craqua ses cordes et les Philistins s'enfuirent. Personne ne pouvait savoir d'où venait la force de Samson.

Dalila dit à Samson : « Tu t'es encore moqué de moi. Je t'en prie, dis-moi ton secret. » Samson rit et il dit : « Si on attache les sept grandes tresses de mes cheveux à ces piquets, je ne pourrai plus bouger. » Samson s'endormit et Dalila attacha les sept tresses sur les piquets. Les Philistins arrivèrent. Dalila cria : « Attention, Samson, voilà tes ennemis. » Samson pria le Seigneur. L'esprit de Dieu vint sur lui. Alors Samson arracha les piquets et les Philistins s'enfuirent. Personne ne pouvait savoir d'où venait la force de Samson.

Dalila dit à Samson : « Tu dis que tu m'aimes, mais ce n'est pas vrai. Trois fois tu t'es moqué de moi. Tu ne me dis pas ton secret parce que tu ne m'aimes pas. » Alors Samson dit son secret à la femme : « Je suis un homme qui appartient à Dieu. Mes cheveux n'ont jamais été coupés depuis ma naissance. Personne n'a le droit de le faire. Si quelqu'un me rasait la tête, la force me quitterait et je serais comme un homme normal. »

Dalila attendit que Samson s'endorme sur ses genoux. Elle appela alors un homme qui lui rasa les sept tresses de ses cheveux. La force se retira de lui. Les Philistins arrivèrent. Dalila cria : « Attention, Samson, voilà tes

ennemis. » Samson pria encore le Seigneur. Il ne savait pas que la force du Seigneur n'était plus avec lui. Les Philistins le firent prisonnier. Ils lui crevèrent les yeux et ils l'emmenèrent dans leur ville, à Gaza.

Les Philistins se dirent : « Notre dieu Dagon est plus fort que celui de Samson. Nous allons faire une grande fête pour lui. » Ils se réunirent tous dans le temple du faux dieu. Ils dansaient pour lui. Il y avait beaucoup de monde. Les Philistins firent sortir Samson de sa prison pour se moquer de lui et de Dieu. Ils lui disaient : « Montre-nous ta grande force, » et ils riaient.

Cependant les cheveux de Samson avaient un peu repoussé dans la prison. Samson chercha avec ses mains les grosses colonnes du temple. Il se mit entre deux et il dit cette prière au Seigneur : « Souviens-toi de moi. Donne-moi, une dernière fois, ta grande puissance. Que ces païens qui se moquent de toi soient écrasés sous ce temple. » Il poussa alors un grand cri et il fit basculer les colonnes. Le temple s'écroula d'un seul coup et tous ceux qui étaient dessous furent écrasés. Elle est forte la parole de Dieu.

Le peuple d'Israël vint chercher le corps de Samson et il l'enterra en pleurant.

SAMUEL

Le peuple d'Israël habitait maintenant depuis longtemps le beau pays de Canaan. Il avait construit une église dans la petite ville de Silo. Il y avait mis l'Arche d'Alliance et les pierres écrites avec les dix paroles de Dieu. Chaque année, le peuple d'Israël venait dans cette église pour y prier le Seigneur et se souvenir de la sortie d'Egypte.

Une femme, Anne, ne pouvait pas avoir d'enfant, et son mari n'était pas content. Elle était très malheureuse. Elle pleurait souvent à cause de cela. Un jour, elle alla prier à l'église de Silo. Elle dit à Dieu dans sa prière : « Seigneur, si tu me donnes un enfant, je ne lui couperai jamais les cheveux, et il sera ton serviteur. »

Elle priait tout bas. Le prêtre de l'église vit que ses lèvres bougeaient et qu'elle ne disait rien. Il s'approcha d'elle, et il dit : « Tu as bu trop de vin ». Anne lui répondit : « Je n'ai pas bu de vin, mais je suis malheureuse. Alors tu me vois prier tout bas. » Le prêtre lui dit : « Excuse-moi. » Il lui dit encore : « Que Dieu te donne ce que tu demandes. » Anne rentra chez elle. Son cœur n'était plus triste.

Quelque temps après Anne eut un fils. Elle l'appela Samuel, ce qui veut dire en hébreu : « Dieu a entendu ». Toute la famille fut dans la joie. Anne n'oublia pas le Seigneur. Elle dit à son mari : « Va à Silo remercier Dieu. Moi, j'irai plus tard, quand l'enfant sera plus grand. » Son mari alla à Silo. Il offrit un sacrifice sur l'autel de Dieu, dans l'église.

Anne n'oublia pas Dieu. Quand l'enfant grandit, elle alla à Silo avec son mari. Ils emmenèrent Samuel avec eux. Anne dit au prêtre : « Dieu nous a donné ce fils. Cet enfant lui est promis. On ne lui coupera pas les cheveux. Il restera ici, avec toi. Il habitera dans le temple du Seigneur. »

Anne entra dans l'église. Elle chantait tout haut pour Dieu : « Mon cœur est rempli de joie pour toi, Seigneur. Tu écoutes le pauvre qui te prie. Tu rejettes le puissant qui t'oublie. Tu donnes du pain à celui qui a faim. Tu ne donnes rien à celui qui a tout. »

Anne revint chez elle avec son mari. Le petit Samuel resta vivre dans l'église. Il était content d'être près du Seigneur. Il apprenait les choses de Dieu. Samuel dormait dans l'église, éclairé par une petite lumière. Il dormait au pied de l'Arche d'Alliance.

Le prêtre devint très vieux, mais ses fils étaient méchants. Ils ne voulaient pas connaître Dieu. Ils n'étaient pas capables de remplacer leur père.

Une nuit, Dieu appela : « Samuel, Samuel. » Le garçon se leva, il courut près du prêtre et il dit : « Tu m'as appelé, me voici. » Le prêtre lui dit : « Je ne t'ai pas appelé, va te coucher. » Dieu appela de nouveau : « Samuel, Samuel. » Le garçon se leva, il courut près du prêtre et il dit : « Tu m'as appelé, me voici. » Le prêtre dit encore : « Je ne t'ai pas appelé, va te coucher. »

Samuel n'avait jamais entendu Dieu. Il était trop petit. Dieu recommença une troisième fois : « Samuel, Samuel. » Le garçon se leva, il courut près du prêtre et il dit : « Tu m'as appelé, me voici. » Alors le prêtre comprit que c'était Dieu qui parlait à Samuel. Il lui dit : « Va te coucher. Si on t'appelle encore, tu répondras : parle, Seigneur, ton serviteur t'écoute. » Samuel alla se coucher. Dieu appela comme les autres fois : « Samuel, Samuel. » Le garçon répondit : « Parle, Seigneur, ton serviteur t'écoute. » Dieu parla à Samuel.

Le lendemain matin, Samuel ouvrit, comme d'habitude, les portes du temple. Il ne disait rien. Le prêtre lui demanda : « Qu'est-ce que Dieu t'a dit ? » Samuel ne disait rien. Alors le prêtre lui dit : « N'aie pas peur, dis-moi tout. » Samuel ne cacha rien au prêtre. Il lui dit : « Tes fils ne seront pas prêtres. Ils sont trop méchants. Je serai prophète à leur place. »

Tout se passa comme Dieu l'avait annoncé. Samuel devint prophète de Dieu en Israël. Elle est juste la parole de Dieu.

DAVID

Des années et des années plus tard, le peuple d'Israël s'était choisi un roi, Saül. Ce n'était pas un bon roi, car il oubliait Dieu.

Dieu dit à Samuel son prophète : « Je vais changer le roi d'Israël, car Saül n'écoute pas ma parole. » Dieu dit encore : « Va trouver Jessé, à Bethléem, et choisis un roi parmi ses enfants. » Samuel dit à Dieu : « Je ne connais pas ses fils. » Dieu dit : « Ne t'inquiète pas, je te dirai celui qu'il faut choisir. »

Samuel vint à Bethléem, à la maison de Jessé. Il lui dit : « Je veux voir tes fils. » Jessé lui amena ses fils. Samuel dit : « Tu en as certainement d'autres. » Jessé répondit : « Mon dernier fils, David, est encore petit. Il ne sait que garder les moutons dans les champs. » Samuel dit : « Appelle-le. » Quand il le vit, il dit : « C'est lui. » Il versa l'huile royale sur la tête de David. Il prononça cette parole : « Dieu t'a choisi pour commander à son peuple. » David se demandait comment il pourrait commander au peuple, car il ne savait même pas lire. L'esprit de Dieu vint reposer sur David.

Un jour les Philistins vinrent attaquer le peuple d'Israël. Le roi Saül rassembla ses soldats pour combattre les Philistins. Jessé dit à son fils David : « Tes frères sont avec Saül pour battre nos ennemis. Apporte-leur de la nourriture. » David prit son âne. Il mit sur son dos un gros sac de grains et dix pains pour ses frères. Il partit au camp des soldats.

Quand il arriva là-bas, les deux armées se préparaient à la bataille. Un géant se tenait devant les Philistins. Il s'appelait Goliath. Il avait un lourd casque de bronze, une cuirasse à écailles, une épée et une grande lance. Il disait au peuple d'Israël : « Choisissez l'homme le plus fort de votre armée. Il se battra contre moi. S'il me tue, nous serons vos esclaves. Au contraire, si je le tue, c'est vous qui serez nos esclaves. » Tous les hommes du peuple d'Israël se regardaient entre eux. Personne ne voulait se battre contre le géant Goliath. Ils avaient peur.

David demanda à ses frères : « Quel est cet homme qui se moque ainsi des soldats du Dieu vivant ? » Ses frères lui dirent : « C'est Goliath. Le roi fera de riches cadeaux à celui qui le tuera. Il lui donnera même sa fille en mariage. »

Pendant ce temps-là, le roi Saül était sous sa tente. Il aurait dû combattre le géant, mais il avait trop peur. David vint le voir. Il lui dit : « Je me battrai à ta place contre ce païen. J'ai l'habitude de tuer les lions et les ours qui viennent voler mes moutons. »

Saül donna à David un casque de bronze, une cuirasse et une lourde épée. David essaya de marcher, mais il ne pouvait pas. Il dit à Saül : « Enlève-moi tout cela. » Il prit seulement son bâton, sa fronde et cinq pierres bien lisses du ruisseau.

Goliath vit David venir vers lui. Il dit en riant : « Suis-je un chien pour que tu viennes m'attaquer avec un bâton ? Maudit sois-tu, toi et ton Dieu. » David lui dit : « Tu marches contre moi avec l'épée et la lance. Moi, je marche contre toi avec le Dieu dont tu te moques. Il te fera perdre, je te tuerai. »

Goliath avança. David prit une de ses pierres et il la lança avec sa fronde. La pierre frappa le Philistin au front. Le géant tomba la face contre terre. David courut vers lui. Il prit l'épée du géant, il lui trancha la tête. Il la montra à tous les ennemis. Voyant cela, les Philistins s'enfuirent. Elle est forte la parole de Dieu.

Le roi Saül remercia David. Il lui fit de riches cadeaux et il lui donna sa fille Milkal en mariage. Le peuple était dans la joie, mais Saül était triste car Dieu n'était pas en lui. Il était jaloux de David.

Le roi Saül était si triste qu'il ne pouvait plus dormir la nuit. Un jour, il dit à ses soldats : « Trouvez-moi un homme qui joue de la belle musique, car je suis triste à mourir. » L'esprit de Dieu conduisit les soldats près de David. Les soldats l'amenèrent au roi. David jouait de la musique quand le roi Saül était triste, alors Saül retrouvait la joie dans son cœur.

Après la mort du roi, David fut roi à sa place, comme Dieu l'avait promis. En ce temps-là, Jérusalem était une ville forte et bien défendue. Elle était encore habitée par des païens. David rassembla son armée et attaqua ces païens. Quand il eut pris la ville, il décida d'y faire entrer Dieu. Il prépara alors une grande fête pour le Seigneur à Jérusalem. Il alla à Silo chercher l'Arche d'Alliance, avec les pierres sur lesquelles les dix paroles de Dieu étaient gravées. Il la mit devant le peuple et l'armée. Tout le monde entra dans Jérusalem. Tout le monde chantait et agitait des rameaux. David était en tête, il dansait pour Dieu. Milkal, la femme de David, regardait par la fenêtre. Elle n'était pas contente de le voir danser comme un fou devant l'Arche. Elle se disait : « Qu'est-ce que les gens vont penser du roi? »

Elle courut alors dire à David : « Tu te conduis comme un voyou. » Mais le roi lui répondit : « C'est pour Dieu que je danse. Ce n'est pas pour les gens. Pour Dieu, j'en ferai même beaucoup plus » ; et David continua à danser.

L'Arche d'Alliance fut mise sous la tente au milieu de la ville et le peuple montait prier à Jérusalem. Elle est bonne la parole de Dieu.

Le roi David se fit construire un beau palais au milieu de Jérusalem. Un jour, il appela chez lui le prophète Nathan et il lui dit : « J'habite une très belle maison en bois de cèdre, mais l'Arche de Dieu n'a qu'une pauvre tente de toile. Je veux construire un beau temple au Seigneur. Nathan dit au roi : « Fais comme tu veux car le Seigneur est avec toi. »

La nuit, le Seigneur dit à Nathan son prophète : « Va dire à David que je ne veux pas son beau temple. Depuis la sortie d'Egypte, je marche avec mon peuple Israël sous la tente. Je continuerai encore. »

Nathan courut au palais du roi et il lui dit : « Dieu ne veut pas de ton temple. Il a voulu que tu sois un grand roi. C'est Lui qui t'a choisi pour être le berger de son peuple. C'est Lui qui a détruit tes ennemis. C'est Lui qui t'a fait puissant, mais il ne veut pas aujourd'hui de ton temple. Un jour, un grand roi naîtra. On l'appellera ton fils. C'est lui qui sera le vrai Temple que Dieu veut. »

David sortit de son palais et il vint prier devant Dieu sous la tente. Il dit :

« Qui suis-je, Seigneur, pour que tu m'aies conduit jusque là ? Tu as fait de moi un grand roi. Sans toi je ne suis rien. Un jour j'aurai un fils. Il te construira un temple et il sera encore plus grand que moi. Merci, Seigneur. » Elle est bonne la parole de Dieu.

Un jour, pourtant, David fut tenté par le mal. Il fit tuer un soldat de son armée pour lui prendre sa femme. Il avait oublié Dieu.

Alors le Seigneur dit à Nathan, son prophète : « Va trouver ce roi qui m'a oublié, et fais-lui comprendre sa faute ». Nathan dit à David : « Dans une même ville, il y avait deux hommes. L'un était riche, l'autre était pauvre. Le riche possédait un grand troupeau de moutons. Le pauvre n'avait qu'une seule petite brebis qu'il aimait. Il la nourrissait de tout son cœur. Elle vivait avec lui, et avec ses enfants. Le riche voulut faire un bon repas parce qu'il avait un invité. Il vola alors la petite brebis du pauvre et il la mangea avec son invité. » Quand David entendit cela, il entra dans une grande colère contre ce riche. Il dit : « Cet homme mérite la mort. » Nathan dit à David : « C'est toi cet homme. » David comprit la parabole. Il pleura et demanda pardon à Dieu. Elle est juste la parole de Dieu.

SALOMON

Le roi David mourut très vieux. Son fils, Salomon, devint roi à sa place. Salomon était un bon roi, aimé par le peuple, car il était juste.

Deux mamans habitaient dans la même maison. Elles eurent chacune un bébé. Mais une nuit, l'un des deux bébés mourut. La maman du bébé mort voulut prendre pour elle le bébé de l'autre maman. Mais la vraie maman s'en aperçut. Elle alla se plaindre au roi Salomon. Elle lui disait, en montrant la méchante femme : « Elle m'a volé mon bébé. » Mais la méchante femme disait : « Non, ce n'est pas le tien, c'est le mien. » Elles se disputaient ainsi devant le roi.

Salomon dit alors : « Taisez-vous. Allez chercher le bébé. » Quand le petit garçon fut là, Salomon dit encore : « Apportez une épée. » On apporta une épée au roi. Salomon ordonna : « Coupez l'enfant en deux et donnez-en la moitié à chacune de ces femmes. » Alors la vraie maman s'écria : « Arrête, Monseigneur, qu'on donne l'enfant à cette menteuse, mais qu'on ne le tue pas. » La méchante femme disait : « Le roi a raison, qu'on le coupe en deux. » La maman cria : « Non, Monseigneur. » Alors Salomon dit cette parole : « Donnez l'enfant à cette femme-ci, car elle est sa vraie maman. L'autre est vraiment une menteuse. » Tout le peuple était dans la joie, il admirait la bonne justice du roi. Dieu était avec lui. Elle est juste la parole de Dieu.

Plus tard, Salomon bâtit une belle maison pour Dieu. C'était un temple magnifique, décoré avec de l'or et des pierres précieuses. Quand la construction fut terminée, il plaça l'Arche d'Alliance dans le temple, avec les pierres sur lesquelles les paroles de Dieu étaient gravées.

Tous les pays de la terre entendaient parler de Salomon et de sa grande sagesse. Les païens eux-mêmes l'admiraient. Tous se demandaient d'où venait cette justice. Un jour, une reine païenne, la reine de Saba, voulut aller voir Salomon. Elle fit un grand voyage en bateau pour traverser la mer. Elle apporta au roi d'Israël de l'or, du parfum, de l'encens et des pierres précieuses. Salomon les mit dans le temple pour Dieu.

Mais quand Salomon devint vieux, il oublia Dieu. Il se mit à adorer les dieux des païens. Il n'écoutait plus cette première parole de Dieu qui était pourtant gravée dans la pierre : « C'est moi, le Seigneur ton Dieu qui t'ai fait sortir du pays d'Egypte ; tu n'auras pas d'autres dieux que moi. »

Un jour Dieu demanda à Salomon : « Qui t'a rendu juste ? » Salomon répondit : « C'est toi, Seigneur. » Dieu reprit : « Qui t'a donné la puissance et la richesse ? » Salomon dit : « C'est toi, Seigneur. » Dieu reprit encore : « Qui a fait venir ici les rois et les reines des païens ? » Salomon dit : « C'est toi, Seigneur. » Alors Dieu dit : « Parce que tu as oublié mon alliance, parce que tu as adoré d'autres dieux que moi, je t'enlèverai ce royaume. Ton fils ne sera pas roi d'Israël. Je donnerai ce pays à l'un de tes serviteurs. » Elle est bonne la parole de Dieu.

ÉLIE

A la mort du roi Salomon, le royaume d'Israël fut divisé en deux camps qui se faisaient la guerre. Il y avait le camp du nord et le camp du sud. Les hommes se battaient les uns contre les autres, car ils avaient oublié Dieu. Ils se mettaient à genoux devant des faux dieux qui ne pouvaient pas les aider.

A ce moment-là, le roi du Nord s'appelait Achab et la reine, Jézabel. C'était une méchante femme. Elle avait apporté, de son pays, des statues du faux dieu Baal. Elle obligeait le roi à se mettre à genoux devant ces statues. Elle lui disait : « Ton Dieu n'existe pas. » Le roi Achab n'osait rien dire.

Un homme très pauvre habitait juste à côté du palais du roi et de la reine. Il s'appelait Nabot. Il n'avait pas d'autre richesse qu'une petite vigne qu'il

soignait avec amour. Il y allait tous les jours pour qu'elle soit toujours belle.

Le roi Achab dit à Nabot : « Donne-moi ta vigne. J'en ferai mon jardin potager, car elle est près de ma maison. Je te donnerai, à la place, une autre vigne bien plus belle ou de l'argent, si tu préfères. Autant que tu veux. » Nabot dit à Achab : « Non, je ne veux pas. J'aime ma vigne. Elle était à mon père. Elle est à notre famille. »

Achab partit chez lui très mécontent. Il se coucha sur son lit. Il se cacha la figure sous son drap. Il refusa même de manger. Sa femme Jézabel vint le trouver. Elle lui dit : « Pourquoi pleures-tu ? Quel malheur as-tu ? » Le roi Achab lui répondit : « Nabot ne veut pas me donner sa vigne. » Alors Jézabel se mit en colère. Elle dit : « Vraiment, tu fais un drôle de roi. Arrête de pleurer. Mange et que ton cœur soit joyeux. Moi, je te donnerai la vigne de Nabot. »

Jézabel donna de l'argent à deux voyous pour qu'ils disent partout : « Nabot a dit du mal du roi et de Dieu. » Elle alla ensuite dans le bureau du roi. Elle s'assit dans son fauteuil et elle écrivit à tous les chefs du peuple. Elle écrivit ceci : « Demain, vous prendrez Nabot dans sa maison. Vous réunirez le peuple pour le juger. »

Le lendemain, les chefs réunirent le peuple. Ils prirent Nabot dans sa maison et ils le mirent entre les deux voyous. Ceux-ci accusaient le pauvre homme en disant : « Il a dit du mal de Dieu et du roi. Nous l'avons entendu. » Tous criaient : « Il mérite la mort. » On fit sortir Nabot de la ville. Tous lui lançaient des pierres. Il mourut.

Après cela Jézabel courut dire au roi : « Nabot est mort. Lève-toi et sois heureux. La vigne est à toi, elle ne t'a rien coûté. » Achab se leva. Il descendit dans la vigne.

Dieu dit à Elie, l'homme de Dieu, le prophète : « Lève-toi. Va voir Achab qui vient de voler la vigne de Nabot. Dis-lui que puisqu'il a tué et volé, il mourra. » Elie alla dire à Achab : « Ecoute la parole de Dieu : tu as tué, tu as volé, tu mourras. » Achab répondit : « Prophète, tu as gagné ! » Et il eut très peur.

Achab rentra chez lui. Il déchira ses vêtements à cause de son malheur. Il pleura longtemps. Il ne voulait rien manger. Achab se souvenait de Dieu et il disait : « Pardonne-moi, Seigneur, car je suis un pécheur. »

Dieu dit à Elie, l'homme de Dieu, le prophète : « As-tu vu comme Achab regrette sa faute ? As-tu vu comme il me demande pardon ? » Elie répondit : « Tout le monde l'a vu. » Alors Dieu dit : « Va dire à Achab que je ne ferai pas venir le malheur sur lui. J'attendrai encore. Mais surtout, que ni lui ni ses fils ne recommencent. » Elle est bonne la parole de Dieu.

Mais le peuple d'Israël continuait d'adorer le faux dieu Baal. Tous se mettaient à genoux devant ses statues. Elie, l'homme de Dieu, le prophète vint trouver le roi Achab qui avait encore oublié Dieu. Il lui dit : « Ainsi parle le Seigneur : Je suis vivant et je vous le montrerai. Vous n'aurez plus d'eau dans le pays. Vous n'aurez ni pluie ni rosée. Tout le monde aura soif. »

Dieu dit à Elie : « Toi, va-t'en d'ici et cache-toi au torrent de Kerrit qui est de l'autre côté du Jourdain. Tu boiras au torrent et j'ordonne aux corbeaux de te donner à manger là-bas. » Elie mangeait du pain le matin, et de la viande le soir. Il buvait au torrent. Elle est bonne la parole de Dieu.

Plus tard, Dieu dit à Elie, l'homme de Dieu, le prophète : « Va voir le roi Achab et dis-lui : le Seigneur va envoyer la pluie sur toute la terre. » Elie partit et rencontra Achab en chemin. Le roi lui dit : « Ah, te voilà, malheur du peuple ! » Elie lui répondit : « C'est toi le malheur. C'est toi qui as oublié Dieu et qui adores les dieux des païens. Tout le peuple fait comme toi parce que tu es le roi. Appelle tout le monde sur le mont Carmel, en face de la mer. Que tes faux prêtres soient là, car ils vont voir la puissance de Dieu. »

Le roi rassembla tout le peuple d'Israël sur le mont Carmel. Elie dit aux faux prêtres : « Construisez un autel pour vos faux dieux. Moi, j'en construirai un pour le Dieu vivant et vrai. Tuons chacun un jeune taureau pour le sacrifice. Mettons-le sur le bois, mais n'allumons pas le feu. Le vrai Dieu allumera lui-même le feu du sacrifice. Nous saurons ainsi quel est le seul vrai Dieu, le vôtre ou le mien. » Elie se tourna ensuite vers le peuple et il dit : « Etes-vous tous d'accord ? » Le peuple répondit : « C'est bien. Faisons comme tu as dit et nous verrons qui est le Dieu vivant. »

Les faux prêtres construisirent leur autel. Ils criaient après leurs dieux, mais rien ne venait du ciel. Elie se moquait d'eux. Il leur disait : « Criez plus fort. Certainement vos dieux dorment. Il faut les réveiller. » Mais ils eurent beau crier, rien ne se passa.

Après cela, Elie appela le peuple : « Approchez et regardez. » Le peuple entoura l'autel de Dieu. Elie prit trois seaux d'eau. Il les jeta sur le bois du sacrifice. Il fit ensuite cette prière : « Seigneur, Dieu d'Abraham, d'Isaac et de Jacob, c'est toi qui m'as demandé de faire cela. J'ai fait ce que tu m'as dit pour que tous sachent ici que tu es vivant. » Après cela, il y eut un grand silence. Tout le monde attendait Dieu. Tout à coup, le feu du ciel tomba sur l'autel du Dieu vivant. Le peuple eut très peur et tous se jetèrent la face contre terre. Elle est puissante la parole de Dieu.

Elie dit au roi Achab : « J'entends venir la pluie. Tu vas pouvoir manger et boire. » Puis il dit à son serviteur : « Toi, monte sur la montagne et dis-moi si la pluie vient. » Le serviteur monta, il regarda le plus loin possible et il dit : « Non, je ne vois rien du tout. » Elie lui dit : « Retourne là-haut et regarde encore. » Mais il n'y avait toujours pas de pluie. Le serviteur monta ainsi sept fois sur la montagne. La septième fois, il vit un petit nuage, gros comme une main d'homme, qui venait de la mer. Tout à coup le ciel devint noir. La tempête arrivait. La pluie se mit à tomber très fort. Le peuple but l'eau envoyée par le Dieu vivant. Elle est bonne la parole de Dieu. Elle fait vivre.

Jézabel, la femme du roi Achab était furieuse. C'était elle qui avait poussé le roi à adorer les dieux des païens. Elle était très en colère contre Elie, l'homme de Dieu, le prophète. Elle voulut même le faire mourir.

Elie eut peur de la reine. Il se sauva dans le désert pour que les soldats ne le trouvent pas. Au bout d'un moment, il eut faim et soif. Il dit à Dieu : « Seigneur, j'en ai assez, je veux mourir. » Il se coucha et s'endormit. L'ange de Dieu vint alors et le toucha. Il lui dit : « Lève-toi et mange. » Elie regarda. Il y avait près de lui une galette cuite et une gourde d'eau. Elie mangea, but et se recoucha. L'ange de Dieu revint une seconde fois. Il le toucha et lui dit : « Lève-toi et mange, sinon le chemin sera trop long pour toi. » Il se leva, mangea et but. Et il put marcher pendant quarante jours et quarante nuits jusqu'à la montagne. Elie monta en haut de la montagne et la voix de Dieu lui parla : « Je vais changer le roi d'Israël. Va mettre l'huile royale sur la tête de Jéhu. Ensuite tu choisiras le prophète qui te remplacera. Ce sera Elisée. » Elie fit ce que Dieu lui avait dit.

Il alla trouver Elisée qui labourait son champ avec douze paires de bœufs. Elie passa près de lui et jeta son manteau sur lui. Elisée sut ainsi que Dieu l'avait choisi pour remplacer Elie. Il remercia le Seigneur et suivit le prophète Elie. Elle est bonne la parole de Dieu.

Comme ils marchaient dans la campagne, tous les deux ensemble, Elie fut enlevé au ciel par des chevaux de feu qui tiraient un char de feu. Personne n'a jamais revu l'homme de Dieu, même pas son ami Elisée qui l'avait vu partir. Elisée devint prophète à la place d'Elie.

ÉLISÉE

Aram était un pays au nord d'Israël. En ce temps-là, il était habité par un peuple païen qui faisait souvent la guerre à Israël. Naaman commandait l'armée de ce pays. Or Naaman était atteint d'une maladie très grave qui ne pouvait guérir. Sa peau tombait en pourriture. Il était lépreux.

On apprit au roi d'Aram que le roi d'Israël savait guérir la lèpre. Comme il aimait bien Naaman, il écrivit une lettre au roi d'Israël pour lui dire : « Je te supplie : guéris mon ami Naaman. Sauve-le de sa lèpre. »

Naaman partit à cheval avec ses serviteurs pour le pays d'Israël. Il arriva chez le roi et il lui donna tout de suite la lettre. Le roi la lut et il devint rouge de colère. Il cria : « Suis-je un dieu qui sait donner la mort et la vie pour qu'on me demande de guérir une maladie si grave ? Je ne sais pas faire vivre. Tu te moques de moi, Naaman. »

Elisée apprit ce qui venait de se passer. Il fit dire au roi : « Toi, tu ne sais pas que le Dieu vivant habite en Israël. Eh bien, tous les païens, eux, sauront que le Dieu vivant habite ici, en Israël. Que Naaman vienne me voir et il le saura. »

Naaman partit, avec ses serviteurs, pour voir Elisée. Il arrêta son cheval devant la porte de la maison du prophète. Il attendait qu'Elisée sorte de chez lui pour venir le guérir. Mais Elisée ne vint pas. Naaman se disait en lui-même : « Si c'est un vrai prophète, il va mettre sa main sur ma peau malade et la pourriture partira. » Mais Elisée ne sortit pas. Il envoya seulement son serviteur avec ce message : « Plonge-toi sept fois dans le Jourdain et tu seras guéri. »

En entendant cela, Naaman fut furieux. Il s'écria : « Cet homme est un faux prophète. Il se moque de moi. Il ne sait pas guérir. Les fleuves de mon pays sont bien mieux que le Jourdain. Je suis capable d'aller m'y baigner. Je suis venu pour rien. » Naaman tapa sur son cheval et repartit pour son pays.

Pendant qu'il s'en retournait, ses serviteurs lui dirent : « Monseigneur, si ce prophète t'avait demandé quelque chose de difficile, tu l'aurais fait. Il te demande une chose facile. Fais-la. Plonge-toi dans le Jourdain et tu seras pur. » Naaman fit ce que ses serviteurs disaient. Il descendit dans le Jourdain et, sept fois, il s'y plongea, selon la parole d'Elisée. En sortant de l'eau, il vit : sa peau était devenue comme celle d'un petit enfant.

Alors Naaman revint voir Elisée. Il le remercia en disant : « Oui, je sais maintenant que le seul Dieu vivant habite ici, en Israël. » Naaman offrit de

grands cadeaux au prophète, mais Elisée les refusa : « Garde tes cadeaux, je ne veux pas de ton argent. » Naaman remonta sur son cheval, il repartit vers son pays. Il chantait pour Dieu.

Géhazi était le serviteur d'Elisée. Il aimait l'argent beaucoup plus que Dieu. Il courut derrière Naaman, il le rattrapa et il dit : « Donne-moi l'argent. » Naaman lui donna ce qu'il demandait. Quand Géhazi revint auprès de son maître, Elisée lui dit : « D'où viens-tu, Géhazi ? » Le serviteur lui répondit : « Je suis resté ici, je te le promets. » Alors Elisée dit cette parole : « Tu as reçu beaucoup d'argent et tu seras riche toute ta vie. Mais la lèpre de Naaman collera à ta peau et à celle de tes enfants pour toujours. » Géhazi s'en alla avec l'argent, mais il vit la pourriture qui commençait à venir sur sa peau. Elle est juste la parole de Dieu.

Un jour, Elisée le prophète parlait de Dieu à cent personnes qui étaient venues l'entendre. Un homme arriva. Il portait sur son dos un grand sac. Il y avait dedans vingt petits pains d'orge et de blé nouveau. Il venait de faire ces pains avec le premier grain de l'année. C'était du pain nouveau.

Elisée dit à l'homme : « Tu apportes ce pain pour Dieu. Regarde ces gens devant la maison. Ils sont venus pour Dieu. Donne-leur ces pains que tu as apportés et qu'ils les mangent. »

L'homme dit à Elisée : « Il n'y en aura jamais assez pour tout le monde. » Elisée reprit : « Ne t'inquiète pas. Donne-leur ces pains nouveaux et qu'ils mangent. Le Seigneur a dit : 'On mangera et il y aura des restes.' » Alors l'homme donna les pains à ceux qui étaient là. Tous mangèrent et il y eut des restes, selon la Parole de Dieu. Elle est vraie la Parole de Dieu.

ÉZÉCHIAS

Des années et des années plus tard, le peuple d'Israël avait oublié Dieu. Il se mettait à genoux devant les statues du faux dieu Baal. Personne ne venait plus prier le Seigneur, ni lui offrir des sacrifices dans son temple. Des méchants hommes avaient même cloué les portes du temple et personne ne pouvait plus y entrer.

Le vieux roi mourut. Ezéchias, son fils, devint roi à sa place. On lui avait dit comment Dieu avait sauvé son peuple de l'Egypte et tout ce qu'il avait fait dans le passé. On lui avait aussi appris combien la parole de Dieu est bonne. Ezéchias ne comprenait pas pourquoi tous oubliaient Dieu, et pourquoi tous se moquaient de sa parole. Il priait le Seigneur et il lui disait : « Personne ne se souvient de toi dans le pays et je ne sais pas quoi faire. »

Le roi d'Assyrie avait une grande armée. Il faisait la guerre à tout le monde et il gagnait sur toutes les armées. Le peuple d'Israël avait très peur. Il se disait : « Le roi d'Assyrie va venir ici. Il va détruire la ville et nous serons ses esclaves comme nous l'étions en Egypte. »

Personne ne pensait à Dieu. Les méchants hommes, au contraire, dirent à Ezéchias : « L'armée d'Egypte est très forte. Faisons une alliance avec elle. L'Egypte nous sauvera du roi d'Assyrie. » Ezéchias fit une alliance avec l'Egypte.

Le roi d'Assyrie apprit cette alliance. Il fut très mécontent. Il dit : « Je vais aller punir Israël. » L'armée du roi d'Assyrie entra dans le beau pays de Canaan. Elle brûlait les villes et les villages. Elle emmenait les habitants comme esclaves. L'armée d'Egypte ne vint pas sauver Israël. Elle était beaucoup trop loin.

Le roi d'Assyrie approchait maintenant de Jérusalem. Les méchants hommes dirent au roi Ezéchias : « Donne à nos ennemis l'or et l'argent du temple de Dieu. Ils ne servent à rien. Nos ennemis seront contents de ce cadeau et ils partiront. » Ezéchias fit ce que les hommes lui avaient dit : Il donna au roi d'Assyrie l'or et l'argent du temple du Seigneur.

Le roi d'Assyrie se moqua du cadeau et il arriva devant les murailles de Jérusalem avec son armée. Ses soldats entourèrent la ville. Personne ne pouvait plus entrer. Personne ne pouvait plus sortir. La nourriture allait bientôt manquer dans Jérusalem et le peuple aurait faim.

Un officier du roi d'Assyrie s'approcha du pied des murailles et il cria au peuple ce message : « Ecoutez tous la parole du grand roi d'Assyrie : Vous avez fait une alliance avec l'Egypte et l'Egypte ne vous a pas sauvés. Elle n'est pas là. Maintenant vous allez être nos esclaves. »

Ezéchias pria le Seigneur, puis il dit au peuple : « Rappelez-vous la puissance de Dieu. Faisons une alliance avec Lui, et il nous sauvera de nos ennemis. » Quand le roi d'Assyrie apprit cela, il envoya son officier au pied des murailles. L'officier dit au peuple : « Ezéchias vous a dit : 'Faisons une alliance avec Dieu'. Ne l'écoutez pas. Le roi d'Assyrie est plus fort que les dieux de tous les peuples et de toutes les armées. Il battra votre Dieu comme les autres. Vous serez nos esclaves. »

Ezéchias dit au peuple : « Allons prier le Seigneur. » Il fit rouvrir le temple que les méchants avaient fermé. Il fit même casser les statues du faux dieu Baal et de tous les autres faux dieux. Le peuple revint dans le temple et il priait le Seigneur de tout son cœur. Ezéchias dit : « Offrons, maintenant, un sacrifice au Dieu vivant. » Le peuple offrit un sacrifice à Dieu. Il lui demandait de le sauver de ses ennemis.

Dieu entendit la prière de son peuple. Isaïe, l'homme de Dieu, le prophète, vint trouver Ezéchias. Il lui dit : « Ecoute la parole de Dieu : Le roi

d'Assyrie s'est moqué du Seigneur. N'aie pas peur de ses menaces, car il retournera bientôt à Ninive, dans son pays. »

La nuit même, l'ange de Dieu frappa l'armée d'Assyrie. Il sauva Israël de l'esclavage : la peste, une terrible maladie, frappa l'armée du roi. Le lendemain matin tous les soldats étaient partis. Il ne restait plus que les morts. Le roi d'Assyrie lui-même s'était enfui à Ninive, dans son pays. Il ne revint jamais plus. Elle est forte la parole de Dieu.

Le peuple vint alors dans le temple du Seigneur. Il remercia Dieu de l'avoir sauvé de l'esclavage. Mais le peuple d'Israël recommença bientôt à oublier le Seigneur. Il reconstruisit les statues du faux dieu Baal et des autres faux dieux. Il se mettait à genoux devant elles. Dieu vit cela.

Ezéchias tomba gravement malade. Il était dans son lit quand Isaïe, l'homme de Dieu, le prophète, vint le trouver. Isaïe dit au roi : « Tu vas mourir. Prépare-toi. » Ezéchias se tourna vers le mur et il pria le Seigneur. Il lui dit : « Je ne t'ai jamais oublié. J'ai toujours écouté ta parole. J'ai même rouvert ton temple et montré à tous que tu es vivant, et tu me fais mourir. Ce n'est pas de ma faute si le peuple t'oublie. Je veux encore essayer de lui dire que tu existes et que tu es vivant. Fais-moi vivre, Seigneur, encore quelques années. » Après sa prière, Ezéchias pleura beaucoup.

Le prophète Isaïe sortait à peine de la chambre du roi, que l'Esprit de Dieu vint sur lui. Il retourna voir Ezéchias et il lui dit : « Ecoute la parole de Dieu : Le Seigneur a entendu ta prière. Il a vu tes larmes. Dans trois jours, tu iras dans le temple le remercier, car tu seras guéri. » La parole de Dieu fit ce qu'elle avait dit.

Ezéchias essaya de faire comprendre au peuple que le Seigneur existait et qu'il était vivant. Mais le peuple n'écoutait pas. Il continuait de se mettre à genoux devant des faux dieux. Le Seigneur vit cela.

Un officier du roi de Babylone vint voir Ezéchias. Il lui apportait un cadeau de la part du roi Nabuchodonosor. Ezéchias fut très content. Il fit visiter son palais à l'officier. Il lui montra même son trésor : tout l'or et tout l'argent de Jérusalem. L'officier regarda cette richesse et il remercia le roi de la visite. Il repartit à Babylone. Il raconta tout ce qu'il avait vu, car c'était un espion.

Le prophète Isaïe dit à Ezéchias : « Ecoute la parole de Dieu : Le peuple oublie toujours le Seigneur. Il continue de se mettre à genoux devant les faux dieux qui ne sauvent pas. Quand tu seras mort, Jérusalem sera détruite. Le roi de Babylone viendra avec son armée. Il prendra le trésor du roi, tout l'or et tout l'argent de Jérusalem. Il l'emportera dans son pays. Il ne laissera rien. Les habitants de Jérusalem seront ses esclaves. » Elle est vraie la parole de Dieu.

DANIEL

Nabuchodonosor, roi de Babylone, dit un jour à ses soldats : « Nous allons conquérir la terre. » Il partit avec toute son armée et il arriva dans le beau pays de Canaan. C'était un grand malheur pour le peuple d'Israël. Les soldats brûlaient tout. Ils volaient. Tous les habitants devenaient des esclaves. L'armée de Nabuchodonosor campa devant les murs de Jérusalem. Elle attaqua la ville et elle la prit malgré ses grandes murailles.

Le peuple d'Israël avait abandonné le Dieu d'Abraham, d'Isaac et de Jacob. Il fut emmené prisonnier à Babylone. Il était devenu esclave comme en Egypte. Nabuchodonosor vola tous les plats en or du temple du Seigneur, puis il brûla le temple. Il emporta ces vases et ces plats pour son faux dieu de Babylone. Tout le peuple pleurait.

Le roi de Babylone commandait maintenant un immense pays qui allait jusqu'à la mer. Il dit : « Je veux avoir à mon service les quatre esclaves les plus beaux et les plus intelligents. »

On lui amena Daniel et trois de ses amis qui venaient de Jérusalem. Ils mangeaient tous les quatre à la table du roi et ils étaient vêtus de magnifiques habits. Nabuchodonosor aimait les écouter, tant ils savaient de choses.

Une nuit Nabuchodonosor eut un songe. Personne ne put deviner le songe du roi. Il ne voulait pas le dire parce qu'il avait peur. Le roi s'écria alors : « Je veux qu'on tue tous les magiciens et tous les gens intelligents de la ville, car ils n'ont pas su deviner mon songe. »

Les soldats mirent en prison tous les magiciens et tous les gens intelligents. Ils vinrent aussi prendre Daniel et ses trois amis. Pendant la nuit, l'ange du Seigneur vint dans la prison de Daniel. Il lui expliqua le songe du roi. Daniel remercia Dieu. Elle est bonne la parole de Dieu. Elle fait vivre.

Le lendemain matin, Daniel dit aux soldats : « Ne tuez personne, car je connais le songe du roi. » Les soldats menèrent Daniel devant Nabuchodonosor. Daniel dit : « Dieu fait ce que les hommes ne savent pas faire. Ton songe vient du Dieu qui a fait le ciel et la terre. Je vais te le dire. Une grande statue est devant toi. Sa tête est en or. Elle est petite. Ses épaules et ses bras sont en argent. Ils sont forts. Son ventre et ses jambes sont en

fer. Ils sont solides. Ses pieds sont en terre cuite. Ils sont fragiles. Tu regardes la statue. Elle est immense. Tout à coup, tu entends un bruit : une pierre se détache de la montagne, elle roule à toute vitesse vers la statue. Personne ne l'a poussée. Elle vient seule et elle frappe la statue qui se casse complètement dans un grand fracas. Après cela tu as froid. Tu regardes la petite pierre qui a tout détruit. Elle grandit, elle grossit. Elle devient une immense montagne qui couvre toute la terre. Voilà ton songe, ô roi. »

Nabuchodonosor tout pâle dit : « C'est cela. » Il réfléchit et il dit encore : « Ta parole vient certainement de Dieu. C'est lui qui t'a fait deviner. Explique-moi ce songe. »

Daniel dit au roi : « Ecoute la parole de Dieu, car elle fait toujours ce qu'elle dit : La statue représente ton royaume. La tête en or, c'est toi, tu es petit devant Dieu. Ton royaume est riche et puissant comme les épaules et comme les bras en argent. Il est solide comme le ventre et comme les

jambes en fer. Il est fragile comme les pieds en terre cuite. Quelqu'un va frapper et détruire ton royaume : c'est la pierre. Après cela un nouveau royaume grandira. Il remplira toute la terre et il ne sera jamais détruit, car il est d'un seul morceau et solide comme le roc. » Elle est bonne la parole de Dieu.

Après avoir entendu cela, le roi dit : « Je veux connaître ce Dieu dont tu me parles et qui est si puissant. » Nabuchodonosor libéra de la prison les magiciens et les gens intelligents. Il nomma Daniel gouverneur du pays.

Bien des jours après, le roi fit une statue d'or et il commanda : « Je veux que mon peuple se mette à genoux devant elle. » Il dit aussi : « Celui qui désobéira et qui n'adorera pas ma statue sera puni. On le jettera dans la fournaise de feu et il sera brûlé. » Le peuple se mit à genoux devant la statue d'or. Daniel et ses trois amis ne le faisaient pas.

Des hommes jaloux vinrent dire au roi : « Daniel et ses trois amis te désobéissent. Jette-les dans la fournaise de feu. » Le roi dit : « Jetez-les dans les flammes. »

Le feu ne brûla pas Daniel et ses trois amis. Toute la nuit, ils marchèrent dans les flammes et ils chantèrent pour Dieu. Le lendemain matin, le roi se leva vite et il alla regarder la fournaise. Il se pencha et il se dit : « Qu'est-ce que je vois ? des hommes marchent dans les flammes ? » Il se pencha encore pour mieux voir au fond et il appela : « Si c'est toi Daniel, viens, remonte. » Daniel sortit du feu avec ses trois amis. Le roi était content de les revoir. Il leur dit : « Vous avez eu raison de me désobéir. Je sais maintenant que votre Dieu est vraiment vivant et qu'il peut même sauver de la mort. Malheur à celui qui dira du mal de lui dans mon royaume. » Elle est juste la parole de Dieu.

Nabuchodonosor mourut. Il fut remplacé par son fils Balthasar. Celui-ci ne connaissait pas Dieu. Il se moquait même de lui. Il dit un jour : « Nous allons nous amuser. » Il commanda un grand banquet et il fit mettre sur la table les plats et les vases en or que son père avait volés dans le temple de Dieu, à Jérusalem. Mille princes étaient invités. Tous burent tant de vin qu'ils étaient ivres.

Tout à coup, il se fit un grand silence dans la salle. Une main d'homme était apparue sur le mur du palais. Elle écrivait des choses bizarres. Les

lettres étaient comme des éclairs. Le roi était pâle, tant il avait peur. Il dit à ses magiciens : « Que veut dire cette écriture ? » Les magiciens ne savaient pas lire ces lettres-là. Le roi demanda : « Qui est capable de les lire ? »

On fit venir Daniel devant le roi. Il lui dit : « Ton père cherchait à connaître le Dieu qui a fait le ciel et la terre. Toi, Balthasar, tu te moques de lui. Le Seigneur a envoyé cette main pour te prévenir qu'il te punira, si tu continues à faire le mal. » Balthasar eut peur et il nomma Daniel gouverneur du pays comme l'avait fait son père. Elle est juste la parole de Dieu.

Balthasar mourut. Il fut remplacé par Darius, roi des Mèdes. Daniel était toujours gouverneur du pays. Des hommes jaloux vinrent trouver le roi et ils lui dirent : « Tu es le plus grand roi de la terre et le peuple doit t'adorer. » Le roi fut obligé d'être d'accord. Il commanda : « Tout le monde doit me prier. Celui qui priera quelqu'un d'autre sera jeté dans la fosse aux lions. » Quand Daniel apprit cela, il monta sur la terrasse de sa maison. Devant tout le monde, il pria le Seigneur. Trois fois par jour, il montait, il se mettait à genoux, et il adorait Dieu. Le peuple le regardait en disant : « Il désobéit au roi. »

Les hommes jaloux vinrent trouver le roi. Ils dirent : « Daniel t'a désobéi. Il prie un autre que toi. Jette-le dans la fosse aux lions. » Darius eut de la peine, mais il fut obligé de jeter Daniel dans la fosse aux lions.

Le roi pleura toute la nuit, parce qu'il aimait bien Daniel. Le lendemain matin, il se leva de très bonne heure. Il courut aussitôt auprès de la fosse. Il cria : « Daniel, le Dieu vivant t'a-t-il sauvé des lions ? » Daniel répondit : « Oui, Dieu m'a envoyé son ange qui a fermé la gueule des lions. Ils ne m'ont pas fait de mal. » Le roi eut une grande joie, puis il dit : « Jetez les hommes jaloux dans la fosse à la place de Daniel. » Ils furent jetés dans la fosse et les lions les dévorèrent.

Le roi Darius écrivit alors à tous les peuples de la terre. Il leur dit : « Il existe un Dieu vivant qui sauve du mal et de la mort. Il a créé le ciel et la terre. Que tout le monde le sache. » Tous les peuples de la terre surent que Dieu existait. Elle est bonne la parole de Dieu.

Darius permit au peuple d'Israël de revenir dans son pays. Le peuple repartit pour Jérusalem. Il chantait pour Dieu :

« Au bord des fleuves de Babylone, nous étions assis et nous pleurions. Les païens nous demandaient : ʻChantez-nous les chants de votre Dieuʼ. Nous étions tristes et nous ne pouvions pas. Nous pensions à Jérusalem. Nous pensions à son temple. Nous avons alors prié le Seigneur et il nous a sauvés. Il nous a fait sortir de l'esclavage. Il nous ramène à Jérusalem. »

Une nuit, Daniel eut un songe que voici : « Tout est noir. On installe des trônes dans le ciel. Un vieillard arrive. Il s'assoit. Son habit est blanc comme de la neige et ses cheveux aussi. Son trône est en flamme de feu avec des roues de feu, des milliards et des milliards de personnes sont devant lui.

C'est un tribunal. On ouvre des livres. Je regarde : on juge une bête, une espèce de grand serpent. On le tue et on le jette dans les flammes.

Je regarde encore. Je vois venir sur les nuages du ciel comme un fils d'homme. Il avance lentement et s'approche du vieillard. On lui donne alors le commandement et la royauté sur tous les peuples de la terre. Les gens de toutes les nations se mettent à l'adorer et à le servir. Ils chantent tous ensemble : « Saint, saint, saint est le Seigneur le roi de la terre. »

J'entends alors une voix puissante comme une trompette. Elle crie : « Celui-ci est roi pour toujours. Son royaume ne sera jamais détruit. Amen ». Ce grand roi est Jésus-Christ.

JONAS

Le peuple d'Israël reconstruisit les murailles de Jérusalem. Il rebâtit le temple de Dieu. Il voulait vivre tranquille, comme autrefois, dans le beau pays de Canaan. Mais les peuples païens étaient devenus nombreux et forts autour d'Israël. Ils venaient dans le pays avec leurs armées, et Israël n'avait jamais plus la paix.

Que faisait Dieu pour son peuple ? Pourquoi ne venait-il pas le défendre ? Le Seigneur avait une idée.

Dieu dit à Jonas, son prophète : « Lève-toi, va à Ninive, la grande ville païenne. Avertis-la que je suis en colère contre elle, à cause de sa méchanceté. » Jonas eut peur et se dit en lui-même : « Je n'irai pas, parce que les païens me tueront. Je vais m'enfuir au bout de la terre, loin de Dieu. »

Jonas partit pour échapper à Dieu. Il arriva à la mer et il monta sur un bateau qui allait à Tharsis, au bout de la terre. Tandis que le bateau naviguait, un vent violent se leva tout à coup sur la mer. Les eaux se soulevaient et les vagues cognaient contre la coque. Le bateau risquait de couler. Les marins ne pouvaient plus rien faire, et ils avaient très peur de mourir. Tous se mirent à prier leurs dieux de les sauver, mais la tempête devenait plus forte encore.

Jonas, lui, dormait tranquillement au fond du bateau. Il n'avait pas entendu la tempête. Il se disait dans son rêve : « Dieu ne me retrouvera jamais, je suis tranquille ». Le commandant descendit dans la cale, et il trouva Jonas. Il s'approcha de lui et le secoua. Il lui dit : « Tu dors, alors que nous allons tous mourir. Monte sur le pont et va prier ton Dieu. Il nous sauvera peut-être, si c'est un Dieu vivant. » Jonas monta et fit semblant de prier. La tempête était de plus en plus forte. Les vagues passaient maintenant par dessus le bateau.

Le commandant dit aux marins : « Il faut savoir quel est l'homme qui nous apporte ce malheur. Nous allons tirer au sort pour le savoir. » On tira au sort. Le sort tomba sur Jonas. Les marins lui dirent : « Qui es-tu ? D'où viens-tu ? » Jonas leur répondit : « Je suis un fils d'Israël et j'adore le Dieu qui a créé le ciel et la terre. » Les païens eurent très peur de la parole de Jonas. Ils lui demandèrent : « Qu'as-tu donc fait pour que ton Dieu te poursuive ainsi ? » Jonas expliqua qu'il fuyait loin du Seigneur. Ils lui demandèrent encore : « Que faut-il faire pour que nous soyons sauvés ? » Il leur dit : « Jetez-moi à la mer, et cette tempête s'arrêtera. » Les païens, qui étaient gentils, ne voulaient pas. Alors ils ramèrent pour le ramener à terre. Mais la tempête était contre eux. Ils jetèrent alors Jonas par dessus bord. La tempête s'arrêta tout de suite. Il se fit un grand calme sur la mer.

Jonas, lui, coulait au fond des eaux. Mais un grand serpent de mer arriva. Il avala Jonas. Dans le ventre de ce grand poisson, le prophète priait ainsi : « Tu m'as jeté, Seigneur, au fond de l'abîme. Tu m'as plongé dans le noir. Les eaux sont entrées dans ma gorge et j'ai été près de la mort. Sauve-moi, mon Dieu, et je viendrai tous les jours te remercier dans ton temple. »

Le Seigneur écouta la prière de Jonas. Dieu dit : « Je veux que Jonas vive. » Trois jours et trois nuits plus tard, le grand serpent fut obligé de vomir Jonas sur la plage. C'était le matin, le soleil se levait. Elle est bonne la parole de Dieu. Elle fait vivre.

Dieu dit de nouveau à Jonas, son prophète : « Lève-toi. Va à Ninive, la grande ville païenne. Avertis-la que je suis en colère contre elle, à cause de sa méchanceté. » Jonas se leva et partit à Ninive, parce qu'il connaissait maintenant la puissance de Dieu. Il n'avait plus peur. Arrivé à Ninive, il disait à tous dans les rues : « Encore quarante jours et Ninive sera détruite. » Les gens de la ville crurent en Dieu. Tous lui demandaient pardon de leur méchanceté. Le roi, lui-même, quitta son trône. Il s'habilla avec de vieux sacs pour montrer qu'il ne recommencerait pas. Tout le monde fit pareil. Dieu vit cela, et il ne détruisit pas la ville.

Jonas sortit de Ninive et il alla s'asseoir sur une petite colline proche de la ville. Il voulait savoir ce que Dieu allait faire contre les païens. Il voulait voir comment le feu du ciel viendrait brûler la ville. Il se construisit même une cabane en attendant. Les jours et les jours passaient, mais rien ne venait. Jonas se fâcha alors contre Dieu. Il lui dit : « Tu te moques de moi. Tu ne montres pas ta puissance à ces païens, et ils vont rire. »

Dieu fit pousser une plante par dessus Jonas. Elle grandit en une journée, et elle lui donnait de l'ombre. Le lendemain matin de très bonne heure, un petit ver piqua la racine de la plante et elle mourut. Un peu plus tard, alors qu'un vent chaud soufflait, le soleil se leva. Il grillait la tête de Jonas.

Jonas cria : « Arrête. Je ne peux plus rester comme cela. Je veux mourir, Seigneur, car ton soleil est trop chaud pour moi. » Dieu dit : « Réfléchis, Jonas. Toi, tu pleures à cause d'une petite plante de rien du tout qui ne t'a rien coûté. Et moi, je devrais détruire ma grande ville pleine d'hommes et d'animaux ? Comprends-tu cela ? »

89

Le peuple d'Israël n'a pas compris l'histoire de Jonas. Il voulait garder Dieu pour lui seul.

Plus tard, Jésus est venu dire que tous les hommes sont enfants de Dieu. Il est venu dire que tous les hommes ressusciteront. Il est venu dire que Dieu nous appelle tous à venir habiter avec lui, dans un pays plus beau encore que le pays de Canaan. On appelle ce pays, le Ciel.

Elle est bonne la parole de Dieu. Elle fait ressusciter.

AU-DELÀ DES IMAGES

« Pour une lecture chrétienne de l'Ancien Testament »

Ce commentaire des dessins est destiné aux parents et aux éducateurs pour les aider à en approfondir le sens. Il est à lire avant de donner le livre aux enfants. Il sera alors plus facile de parler avec eux.

L'Ancien Testament est souvent mal compris : il met en scène, croit-on, un Dieu méchant et vengeur, contredisant les lois de la morale, alors que les évangiles sembleraient plus conformes aux idées que nous avons de Dieu.

Mais c'est mal lire la Bible que de réduire Dieu à nos idées sur Dieu et les évangiles au testament d'un maître de morale tel Socrate ou Confucius.

Des liens profonds et indissociables entre les deux alliances nous permettent, au contraire, de bien lire les évangiles. L'univers religieux, les idées sur Dieu, la culture religieuse de l'Ancien Testament sont aussi ceux des évangiles. Les notions de promesse, d'alliance, de création, de venue du Seigneur et de fin des temps, d'idolâtrie, de mal et de tentation, de salut et d'amour de Dieu, que l'on devine dans le Nouveau Testament, s'enracinent dans l'Ancien.

D'autre part la symbolique biblique : l'eau, le désert, la montagne, le feu, la nuée, le serpent, les quarante ans d'exode, les sept jours de la création, la lumière dans les ténèbres, la vigne, le pain nouveau, etc. font partie de notre langage religieux. Cette symbolique biblique est tout entière présente dans les évangiles pour évoquer le plan de Dieu se déroulant dans le temps. Elle est aussi présente dans le Notre Père qui est un résumé de l'Ancien Testament.

La grande nouveauté des évangiles est qu'ils proclament, par la mort et la Résurrection du Seigneur, l'accomplissement de la Promesse en Jésus-Christ. Ils prennent leur sens de leur contexte biblique.

Lire les évangiles pour eux-mêmes, c'est les réduire à n'être que des faits divers du passé où les miracles de Jésus ne sont que choses extraordinaires qu'on se raconte. Les miracles ne deviennent signes que dans la mesure où ils s'inscrivent dans l'attente de la Promesse.

Les commentaires proposés dans cette seconde partie tentent d'éclairer les rapports existant entre les deux Testaments. L'Ancien Testament est lu en référence à Jésus-Christ. C'est le choix de notre foi.

Notre souhait : que cette lecture ouvre des pistes pour la méditation des évangiles et la prière.

LA CRÉATION. Genèse 1. (page 16-17)

Quand nous ouvrons la Bible, nous avons un premier récit de la création. Il date de l'exil, c'est-à-dire du sixième siècle avant notre ère. Ce récit reprend le cadre des sept jours de la semaine liturgique dont le sommet est le sabbat. Ainsi, cette parabole située à l'origine des temps, chantée dans une célébration, rappelle que la création de Dieu se poursuit toujours. Rappelons-nous la phrase de l'évangile : « Mon Père travaille toujours. » (Jean 5, 19).

La création est essentiellement un acte de séparation, la mise en ordre d'un chaos. Dieu sépara la lumière des ténèbres, le « sec » des eaux. Cette séparation rend possible la vie de l'homme qui ne pourrait pas exister dans un tohu-bohu. Aucune vie sociale ne peut durer sans points de repère, sans valeurs, sans séparations. Si tout est bien et tout est mal à la fois, l'homme sombre dans la folie et la mort. Dieu, par sa parole, garantit la permanence de son œuvre et le sens de la vie. Il éclaire et dirige l'homme vers sa destinée, selon son vouloir, selon son plan : « Que ton règne vienne », dit-on dans le Notre Père.

La lumière surgit des ténèbres le premier jour. Il ne s'agit ni du soleil, ni de la lune qui seront créés le quatrième jour. La lumière c'est Dieu qui surgit dans le chaos. Le prologue de l'évangile de Jean, écrit à la fin du premier siècle de notre ère, évoque le premier jour de la création : « La lumière luit dans les ténèbres. » (Jean 1,5). La lumière, c'est aussi la Résurrection au matin de Pâques. (Marc 16,2). C'est enfin, le Seigneur venant à la fin des temps séparer le bon du mauvais.

Le dessin est lumineux. Le paysage est éclairé. La nuée obscure de l'Exode, compagne des Hébreux dans le désert après leur sortie d'Égypte, voile encore le soleil. Celui-ci, signe de Dieu, brillera à la fin des temps sur le monde entier. Les eaux elles-mêmes, séparées du « sec », sont encore illuminées comme elles l'étaient sans doute lors de la fête des Tabernacles à l'équinoxe d'automne. C'était une évocation de la lumière permanente car la pleine lune succédait au soleil.

LE SERPENT, UN MAÎTRE DE L'HOMME. Genèse 3 (page : 18)

La parabole d'Adam et Ève (en hébreu de l'homme et de la vivante) pose d'emblée la question du mal. Dieu a créé le monde et pourtant le mal existe. Cette question est un mystère, c'est une énigme. Nous entendons, aujourd'hui encore, des questions du genre : « Pourquoi Dieu laisse-t-il le mal dans le monde ? » La Bible répond ceci : « L'homme se fabrique des maîtres, des dieux qui le coupent de sa source de vie, Dieu ; alors il dépérit et meurt. » L'évangile de Jean (8,44) reprend cette affirmation : « Nous avons pour père le diable et ce sont les désirs de notre père que nous voulons accomplir. » La Bible définit la vérité de l'homme dans sa dépendance à Dieu. Celui-ci est notre vrai père auquel nous devons nous adresser dans la prière. Nous sommes ses enfants (1 Corinthiens 8, 5-6). Jésus accueille les petits enfants du père (Luc 18, 15).

Le serpent symbolise le mal, qui n'est pas l'opposé du bien dans le classement de la morale. Le mal caractérise l'homme sans Dieu. C'est cette pente qui nous entraîne en dehors du Royaume. Nous sommes en présence d'une lecture religieuse au second degré de l'expérience humaine.

L'origine de ce symbole se trouve dans le Léviathan, le grand serpent de mer du mythe babylonien. Il habite la profondeur des eaux, c'est-à-dire qu'il entretient un lien mystérieux avec la mort. « L'aiguillon de la mort, c'est le péché », nous dit saint Paul (1 Corinthiens 15, 56).

L'arbre de la connaissance du bien et du mal n'est pas un pommier comme l'a fait croire le jeu de mots latin (malus : le pommier). Il représente la suffisance du savoir humain, la vérité positive sous toutes ses formes, la bonne conscience morale. Cette science ne peut suffire à l'homme car elle est une fausse vérité qui conduit à l'abandon de Dieu et donc à la mort. « Qu'est-ce que la vérité ? » demande Pilate à Jésus (Jean 18, 38), Jésus ne répond pas et on comprend pourquoi.

DIEU SAUVE Genèse 7, 11 (page : 20)

Le déluge ne peut se comprendre qu'en référence à l'idée que les anciens se faisaient de la terre. La culture de ce temps-là représentait le monde comme une table posée sur les « eaux d'en bas ». Le ciel était une voûte solide, le firmament (du mot ferme), qui recouvrait la table et empêchait les « eaux d'en haut » de noyer la vie. C'est Dieu qui commandait toutes ces eaux en contrôlant les « sources du grand abîme », les empêchant de submerger la terre.

On retrouve ce thème des abîmes marins qui symbolisent la mort, dans bon nombre de psaumes (42, 8 ; 66, 12 ; 69,2 et 15...) Le « De Profundis » (psaume 130) évoque aussi la profondeur de l'abîme marin duquel le pécheur demande à Dieu la résurrection. Le verset 7 : « Le veilleur compte sur l'aurore » peut être une évocation du matin de Pâques.

A l'issue du déluge, Dieu sauve des eaux de la mort un petit reste qui a respecté l'Alliance, c'est-à-dire qui a fondé sa vie en Dieu. L'arche est comme l'œuf d'où sort une vie nouvelle. Elle est le « bois » qui sauve, allusion traditionnelle à la croix du Christ.

Le dessin représente une nuée sombre qui préside au jugement. C'est la nuée de l'Exode, c'est Dieu.

LA NOUVELLE CRÉATION Genèse 9 (page : 21)

Dieu sépare de nouveau le « sec » des eaux et la lumière des ténèbres : c'est la fin du déluge. On retrouve le même commandement qu'à la création initiale : « Soyez féconds, multipliez-vous, dominez la terre. » Un avenir est de nouveau ouvert. L'Alliance est reconduite. L'arc-en-ciel symbolise la paix de Dieu qui a déposé dans la nuée son arc de guerre. Le récit montre par là, que Dieu, malgré les apparences, veut la vie de l'homme et non sa mort. Mais aucune vie véritable n'est possible en dehors de Dieu. La Promesse n'est réalisable que par l'Alliance avec Dieu.

Le déluge évoque la noyade des Égyptiens dans la Mer des Roseaux (Mer Rouge). C'est un texte pascal qui était utilisé par les premiers chrétiens pour la liturgie du baptême, lors de la vigile pascale (1 Pierre 3, 20-21). Saint Paul nous rappelle le sens du baptême : « Nous avons été ensevelis (immergés) avec le Christ par le baptême dans la mort. Comme le Christ ressuscité des morts, nous vivons nous aussi (par le baptême) dans une vie nouvelle » (Romains 6, 4).

La liturgie chrétienne utilise le calendrier liturgique juif rapporté à la création (Genèse 1, 1). Le premier jour de la semaine est le dimanche. Dieu y crée la lumière. Le dernier jour de la semaine est le sabbat. Il préfigure l'issue de la création, la fin des temps, quand Dieu aura mené son œuvre à terme. L'expression « huitième jour » se rencontre dans la littérature chrétienne des premiers siècles. Elle signifie en fait que le dimanche, ce « huitième jour » ou « jour du Seigneur » (Apocalypse 1, 10) fait suite à la première création. L'évangile ouvre une semaine nouvelle, des temps nouveaux, qui ne peuvent se comprendre qu'en référence à l'Ancien Testament. La lumière de Pâques correspond à cette première lumière que Dieu créa le premier jour du monde (Genèse 1, 3).

La liturgie pascale évoque ce « huitième jour » où la lumière a de nouveau brillé dans les ténèbres. Le chiffre huit est une allusion à la Résurrection. Voilà pourquoi certains baptistères du Moyen Age ont huit côtés. Noé a été considéré par les Pères de l'Eglise comme une figure de Jésus qui a su maintenir l'Alliance avec le Père.

Le dessin a cette particularité de transformer l'arc-en-ciel en anneau, signe du mariage entre Dieu et son peuple.

BABEL Genèse 11 (page : 22)

Bien sûr, ce récit n'est pas historique. C'est une parabole religieuse. Des hommes décident de s'entendre pour vivre dans la paix. Dieu descend et brouille les langues. Une énigme est posée. La réponse est simple : l'homme est néant sans Dieu. Aucune communauté humaine ne peut vivre dans la paix sans l'amour de Dieu qui convertit les cœurs.

Jésus mourra sur la croix pour que les « enfants de Dieu » du monde entier puissent se rassembler en lui (Jean 11, 52), pour que l'Esprit de Dieu se répande sur tous les hommes.

La Pentecôte chrétienne est l'anti-Babel. Elle évoque la Révélation de Dieu à tous les hommes et le don de l'Esprit pour ceux qui veulent.

Dans les Actes des Apôtres (2, 13), nous voyons le rassemblement des gens du monde entier. Les uns croient et les autres non. Pourtant les missionnaires parlent, pour être compris de tous, d'une langue ardente qu'on aurait dite de feu. C'est l'Esprit qui parle en eux pour convertir.

Les Actes des Apôtres reprennent l'imagerie de la révélation de Dieu au Sinaï (Exode 19, 20) que des commentaires juifs avaient amplifiée. Ils évoquent à la fois la première révélation de Dieu et la dernière, lors de la venue de Jésus, à la fin des temps. Dernière révélation qui est déjà présente dans la mort et la Résurrection du Seigneur.

Le dessin évoque la surprise de cette révélation : ciel rouge et regards des présents. Prière des uns et fuite des autres. Dieu disperse, par amour, car il sait que la tour ne peut sauver. Celle-ci, inachevée, divise deux rangs de maisons désormais vides parce que l'homme est vide sans l'Esprit de Dieu.

PROMESSE DE DIEU Genèse 12 (page : 23)

Dieu a promis. L'Écriture n'aurait aucun sens sans cette promesse qui engage notre avenir. Dieu veut la vie de l'homme qu'il a créé « à son image et à sa ressemblance » (Genèse 1, 26). Abraham entrevoit soudain un avenir éblouissant, une autre dimension du monde. Il accepte alors de marcher vers ce que « ses yeux ne peuvent pas voir. » C'est ce que l'épître aux Hébreux confirme (11, 8) : « Par la foi, Abraham... partit ne sachant où il allait. »

Saint Paul, dans sa lettre aux Romains (11, 53), exulte comme tout croyant devant la Révélation de la Promesse : « O abîme de la richesse, de la sagesse et de la science de Dieu ! Que ses décrets sont innombrables et ses voies incompréhensibles ! » La foi est une marche sans visibilité en référence au Père.

Cette route de la foi est marquée par l'espérance car elle se heurte au mal et à la croix. Abraham passera par l'Égypte, comme tout le peuple hébreu, c'est-à-dire par cet esclavage qui marque la condition humaine actuelle. Jésus lui-même d'après l'évangile de Matthieu, fera, comme ses prédécesseurs, un détour par l'Égypte (Matthieu 2, 14), mais il ne succombera pas comme eux aux pièges du mal (Matthieu 4).

Le dessin est ouvert vers le haut, sur un horizon lumineux. Au loin, des montagnes appellent le croyant. Juste devant, un pâturage symbolise la terre promise au peuple de Dieu. « Sur des prés d'herbe fraîche, il m'a fait reposer et, dans des eaux profondes, il m'a désaltéré. » (Psaume 23, 2). A gauche, sur le dessin, la colline des oliviers, rappelant Gethsémani, se fond dans le paysage. Allusion à la croix inévitable qui balise la route de la Résurrection. Sept arbres évoquent la création de Dieu qui se poursuit selon la Promesse.

Dans le ciel, enfin, une étoile brille. Elle n'est visible que pour ceux qui la cherchent. Elle évoque l'espérance apportée par la Résurrection. Elle est « l'Étoile radieuse du matin », c'est-à-dire Jésus-Christ (Apocalypse 22, 16). Elle évoque aussi l'étoile des mages de Matthieu 2, 7.

LE CHÊNE DE MAMBRÉ Genèse 18 (page : 24)

Dans ce récit, qui sont les trois hommes qui s'approchent en plein midi de la tente d'Abraham ? Ils sont trois, mais Abraham s'adresse à eux au singulier. Il les appelle : « Seigneur ». C'est qu'il s'agit de la venue de Dieu. L'Église a vu en eux une image de la Trinité à l'œuvre depuis la fondation du monde. La chaleur de la journée pourrait évoquer la chaleur du feu d'amour qui vient.

Les trois voyageurs sont porteurs d'une bonne nouvelle : « Ta femme aura un fils. » Dieu avait annoncé auparavant à Abraham cette nouvelle, mais celui-ci avait ri (Genèse 17, 17). C'est maintenant au tour de Sara de douter. Elle rit à la tête des visiteurs qui lui en font la remarque.

L'étymologie du mot Isaac contient la racine rire (ou sourire). Ce mot pourrait vouloir dire : Dieu sourit ou Dieu sourira. C'est sans doute une relecture théologique. A l'incrédulité de l'homme qui rit de Dieu, répond le sourire engageant du Seigneur qui veut le salut de l'homme. Isaac porte jusque dans son nom cette volonté de Dieu. A la naissance d'Isaac, Sara se souviendra de son incrédulité et déclarera : « Dieu a fait de moi une risée ; tous ceux qui l'apprendront souriront. » (Genèse 21, 6). Le double sens doit encore être maintenu ici. Ceux qui l'apprendront souriront pour deux raisons : parce qu'ils se reconnaîtront dans Sara, mais aussi parce qu'ils seront témoins de l'accomplissement de la promesse qu'ils ne pouvaient imaginer. Le rire est marqué à la fois par la repentance et par la joie d'avoir été pardonné par Dieu.

Qui ne penserait pas, à la lecture de ce récit, aux naissances de Jean Baptiste et de Jésus. Voici ce que dit Luc 1, 36 : « Élisabeth ta parente, vient elle aussi de concevoir un fils dans sa vieillesse.. car rien n'est impossible à Dieu. » Les derniers mots sont un écho de notre récit (Genèse 18, 14). Les premiers chrétiens situaient déjà l'Incarnation dans le prolongement de la naissance d'Isaac.

Le dessin oppose le geste d'accueil d'Abraham au visage de Sara se détachant de l'obscurité. A l'horizon, une montagne domine la scène sur un fond de ciel bleu. Au-delà de la logique humaine, Dieu est.

LE SACRIFICE D'ISAAC Genèse 22 (page : 26)

Une tradition juive situe ce sacrifice à la fête de Pâque. Isaac, le fruit unique de la Promesse, va être sacrifié. Dieu, qui l'a donné, semble demander sa mort. C'est absurde. « Prends ton fils, ton unique... tu l'offriras en holocauste. » La volonté de Dieu est ici incompréhensible. Cependant, Abraham, par la foi, accepte.

Le Notre Père ne fait que reprendre cet acte de foi quand il dit « que ton règne vienne, que ta volonté soit faite. » Le plan de Dieu sur sa création dépasse tout ce que nous pouvons imaginer. Il demeure en grande partie incompréhensible.

Isaac est devenu le personnage principal du drame décrit dans le récit. C'est un fils adulte. D'après un commentaire juif, il aurait trente-sept ans. Il est donc conscient de sa situation, mais il semble accepter la mort.

Ce n'est qu'un récit à portée religieuse et non pas nécessairement la description exacte d'un fait. L'Église a longuement médité ce texte. Elle a vu en Isaac une image de Jésus montant volontairement au Golgotha et acceptant la mort infligée par le péché de l'homme. Isaac, comme Jésus, porte le « bois » du sacrifice. Isaac, comme Jésus, obéit à son père. Le fils unique est sacrifié comme un « agneau qu'on mène à l'abattoir » (Actes 8, 32).

Le dessin est une montée au calvaire au milieu d'un sombre décor de rochers et d'arbres morts. Il n'y a apparemment aucune verdure et aucune vie dans cette scène. Mais Abraham porte la lumière qui guide ses pas au-delà de la mort. Une nuée remplit le ciel ; Dieu préside au sacrifice. La nuée évoque l'Exode et aussi le retour du Christ dans la gloire à la fin des temps. (Matthieu 24, 30).

REBECCA OFFRE L'EAU Genèse 24, 16 (page : 27)

La femme donne l'eau au serviteur d'Abraham. L'eau est ici le signe de la vie que donnera la femme par la suite. Rebecca épousera Isaac et lui donnera une descendance. La Révélation suivra ce canal biologique pour aboutir à Jésus. (Matthieu 1, 2). Ensuite, l'Eglise, épouse de Jésus, la transmettra au monde entier. L'Église est la nouvelle Rebecca.

L'image de l'époux et de l'épouse provient de l'Ancien Testament. Dieu est le mari fidèle tandis qu'Israël est la femme infidèle. (Osée 2, 18). L'alliance entre Dieu et l'homme est donc traditionnellement représentée par l'image du mariage. C'est ce que répète saint Paul aux Éphésiens (5, 25) : « Maris, aimez vos femmes comme le Christ a aimé l'Église. »

Dans l'évangile de Jean, Marie paraît symboliser l'Église. Elle est la femme qui intervient activement auprès des serviteurs aux noces de Cana pour que la gloire de Jésus soit manifestée à tous. (Jean 2, 5). L'union entre l'Église (la femme) et « le disciple que Jésus aime » se scelle à la croix. « Femme, voici ton fils. Puis il dit au disciple : voici ta mère. »

(19, 26). Ce symbolisme est une réflexion religieuse des premiers chrétiens, faite sans doute à partir du texte de la tentation d'Adam et Ève. Celle-ci, dont le nom signifie en hébreu la vivante, est remplacée par Marie, qui sait donner une autre vie. Elle a été fécondée par Dieu. De même, l'Église reçoit l'eau vive de son époux Jésus Christ, le nouvel Adam.

LE PUITS DE JACOB Genèse 29, 10 (page : 28)

Bien qu'il fasse encore grand jour, les troupeaux se rassemblent pour boire. Rachel conduit le dernier auprès du puits. Jacob, alors, roule la pierre qui obturait l'entrée du puits et l'eau vive abreuve tous les troupeaux. Jacob fait le même geste que Moïse (Exode 2, 17).

Jésus, nouveau Moïse, nouveau Jacob, vient donner l'eau vive à ceux qui ont soif. Il la donne à toutes les nations du monde entier. Rachel préfigure la Samaritaine, auquel Jésus promet l'eau vive (Jean 4, 14). La Samaritaine, la femme aux cinq maris (comme les cinq dieux des cinq peuples de Samarie, 2 Roi 17, 29), n'a toujours pas d'époux car celui qu'elle a actuellement n'est pas le vrai. En termes clairs, Dieu est le seul partenaire de l'alliance, l'unique époux. Dieu est le seul capable de féconder son peuple. Jésus prend cette place et propose l'eau vive — c'est-à-dire la Parole de Dieu — qui donnera la vie à tous les peuples de la terre.

Le dessin suggère un tombeau sur lequel une grosse pierre est roulée. Du tombeau sort la vie, le jour de la Résurrection.

CORPS A CORPS AVEC DIEU Genèse 32, 33 (page : 31)

C'est la nuit. Jacob, effrayé, se trouve face à face avec son destin. Le choix de Dieu sur lui, le rapt du droit d'aînesse, correspondent à une mission. Jacob est engagé avec Dieu et cela lui coûte.

Au retour d'exil, les siens ne semblent pas l'accueillir. Il va devoir, une fois encore, affronter son frère. Le combat avec l'ange est une lutte intérieure, une révolte contre la volonté de Dieu, contre la mission. Malgré cette résistance, Jacob finira par céder à Dieu. Il en gardera cependant une boiterie à la hanche : la lutte avec Dieu laisse des traces.

Jacob est une figure du Christ. Le combat avec l'ange est celui de Gethsémani. Le Christ ressuscité gardera des traces de sa passion.

Le dessin montre Jacob en face de Dieu. Il est éclairé entre la mort et la vie, entre l'obscurité et la lumière. Finalement, il choisira la vie en traversant le torrent, évocation de la Pâque.

JOSEPH VENDU PAR SES FRÈRES Genèse 37, 12 (page : 32)

Les chrétiens lisent le récit de Joseph comme une préfiguration de l'histoire de Jésus, vendu lui aussi par ses frères pour le prix d'un esclave. (Matthieu 26, 15). Pourtant, il leur apporte le pain de vie, la nourriture indispensable au salut.

Joseph accomplit sans hésiter sa tâche d'esclave, mais il reste, dans cette existence, fidèle à Dieu. Il ne se révolte pas, mais cet exode en Égypte fortifie sa foi. Comme Isaac, Dieu le sauve au dernier moment. Comme lui, le sang d'un bouc remplace son propre sang. (Genèse 37, 31).

Le personnage de Joseph est bien une figure du Christ, l'Agneau, qui « a pris la condition d'esclave... obéissant jusqu'à la mort et la mort sur une croix. » (Philippiens 2, 7). Il « sera exalté » dit la même épître, c'est-à-dire qu'il ressuscitera. Le chemin de la Résurrection passe par la croix. Réalité qui nous dépasse : mystère du salut !

Sur le dessin, la vente de Joseph se fait sur le fond obscur de trois arbres morts, sous le regard attentif des pasteurs d'Israël, les mêmes sans doute dont parle Luc 2, 8.

JOSEPH EST RECONNU Genèse 45, 1 (page : 35)

Joseph, sacrifié par ses frères, les retrouve en Égypte. Son sacrifice n'a pas été inutile puisqu'il a permis de sauver le monde entier de la famine. C'est ce que l'auteur du récit exprime quand il met dans la bouche de son héros cette phrase : « Ne vous fâchez pas de m'avoir vendu, car c'est pour préserver vos vies que Dieu m'a envoyé en avant de vous. » Ce récit religieux est une méditation sur le rôle du juste sacrifié par ses frères dans l'économie du salut.

Les chrétiens, méditant ce récit, l'appliquent évidemment à Jésus le juste sacrifié par ses frères juifs. Sa mort alors devrait être suivie d'une reconnaissance de Jésus Christ comme Sauveur dans le contexte d'une famille spirituelle.

Ce n'est cependant pas la réalité vécue par les premières communautés chrétiennes qui se voient chassées des synagogues après la destruction du temple en 70. L'évangile de Matthieu réagit rigoureusement contre l'exclusion des chrétiens des communautés de prière. Nous comprenons alors son accent si dur qui est à l'envers des béatitudes : « Malheur à vous, scribes et pharisiens hypocrites, qui fermez aux hommes le royaume des cieux ! Vous n'entrez certes pas vous-mêmes... » (23, 13).

Saint Paul déjà s'interrogeait sur l'incompréhension de ses frères de race à l'égard de Jésus, le nouveau Joseph. Certainement, pense-t-il, les juifs reconnaîtront un jour le Christ. (Romains 11, 15).

Le dessin montre la stupéfaction des frères devant le rôle « d'agneau » joué par Joseph dans le projet de Dieu. Scène d'eucharistie !

MOÏSE SAUVÉ DES EAUX Exode 2, 1 (page : 36)

Le sauvetage de Moïse par la fille du pharaon préfigure l'autre grand sauvetage, le salut du peuple lors du passage de la mer. Sauvé des eaux à sa naissance, Moïse a été choisi par Dieu pour faire partager le salut à ses frères.

Moïse est le personnage central du judaïsme. Les premiers chrétiens proclameront Jésus « nouveau Moïse ». L'évangile de Matthieu présente Jésus sous les traits de Moïse en bien plus grand. Le don de la loi y est fait sur une montagne (Matthieu 5, 1) en écho avec le don de la loi ancienne sur le Sinaï. Ce genre littéraire veut souligner la continuité de la promesse. Le nouveau Sinaï prolonge et accomplit l'ancienne alliance.

Moïse a été sauvé par la fille du pharaon, une païenne. Juste retour des choses : c'est aux païens que s'ouvrira la Révélation à partir de l'événement pascal.

LE BUISSON ARDENT Exode 3, 1 (page : 37)

L'ange du Seigneur — ou le Seigneur, ce qui revient au même — appelle Moïse pour une mission. Comme Marie, Moïse n'hésite pas à répondre à cet appel. « Me voici », dit-il.

Dans la Bible, Dieu n'est pas nommé, car la connaissance du nom donne un pouvoir sur celui qui est nommé (Genèse 1, 19). « Dieu dit à Moïse : Je suis celui qui suis. » Par cette déclaration, il indique son éternité, et plus précisément, la fidélité à sa promesse dans le temps. Le Seigneur ne changera pas son grand projet de création, et il le conduira à terme, comme il l'a révélé aux patriarches Abraham, Isaac et Jacob.

L'évangile de Marc est construit autour d'une question sur Jésus : « Qui est-il celui-là ? » « Qui suis-je ? » demande Jésus (Marc 8, 27). Quel est le nom du Seigneur ? Il n'a pas de nom unique, mais une infinité d'appellations : « Le Nazarénien (1, 24), le Fils de l'homme (2, 10), le Fils de Dieu (3, 11), Fils du Dieu Très-Haut (5, 7), le Christ (8, 29), le Fils de David (10, 47), le Seigneur (12, 36). »

Cette infinité d'appellations signifie que Jésus est Dieu. Ceci est d'ailleurs dit, en code, quand Jésus marche sur les eaux. Il se présente : « C'est moi » (Marc 6, 50). Cette expression pourrait se traduire par « Je suis » (Moi est). De même, Jean 8, 58 montre Jésus affirmant aux pharisiens scandalisés : « Avant qu'Abraham fût, Je suis. » Pour les premiers chrétiens, c'était déjà clair : Jésus était celui qui s'était jadis révélé à Abraham au chêne de Mambré, à Moïse au buisson ardent. Il était même la Sagesse de Dieu présente à la création du monde (Matthieu 11, 19).

Le dessin associe le feu du buisson ardent au mont Sinaï qui se détache en arrière. Une montagne, associée à un feu, ne peut qu'évoquer la révélation de Dieu et le don de la loi.

LA PÂQUE DES HÉBREUX Exode 12, 1 (page : 38)

Dieu vient en Égypte chercher les siens. Il les reconnaît au sang de l'agneau dont ils sont marqués, et il les conduit dans la terre promise. Ce passage de Dieu, cette Pâque, est vie pour les uns et mort pour les autres.

Ceci interpelle peut-être notre idée de Dieu. Nous touchons là du doigt une étrange affirmation qui traverse l'Écriture. L'homme n'est rien sans Dieu, il n'est que paille au feu. Une collectivité humaine qui refuserait Dieu, qui baserait par exemple toute sa vie sur l'argent, sombrerait, à terme, dans la mort. L'homme est appelé à faire un choix dont les conséquences sont incalculables. Quand le feu de l'amour jaillira, il brûlera les uns et réchauffera les autres. Mystère de l'homme ! L'habit de noce exigé par le maître du banquet pour ses invités, en Matthieu 22, 11, exprime la même idée.

Pâque, fête agricole marquant le début de la moisson, était le premier jour de la semaine des Azymes (Matthieu 26, 17). Elle a toujours été rapportée à la sortie d'Égypte opérée par Dieu (Exode 13, 9).

La Pâque chrétienne a repris les deux éléments essentiels de la Pâque des Hébreux, à savoir, le pain azyme et l'agneau pascal.

Le pain azyme est du pain sans levain, un « pain de misère » correspondant à un rite de pénitence. Il signifie à la fois le départ précipité, occasionnée par le passage de Dieu (Exode 13, 39), et le fait que le mauvais levain de l'Égypte n'a pas fait lever la nouvelle pâte. Il va pouvoir être remplacé par un autre levain celui de Dieu. Le vieux levain d'Égypte est mentionné par Marc (8, 15). Le bon levain est celui de la parabole de Matthieu (13, 31). Saint Paul invite les Corinthiens à « se purifier du vieux levain pour être une pâte nouvelle » (1 Corinthiens 5, 7). Il appelle les chrétiens des « azymes ». Il ajoute par ailleurs : « Le Christ, notre Pâque, a été immolé. » Le Christ est l'agneau pascal par excellence, immolé le premier jour des Azymes.

L'évangile de Jean situe la mort de Jésus à l'heure où, sur le parvis du temple, on immolait les agneaux pascals sans leur briser les os. Car pour Jean, plus que pour les autres évangélistes, Jésus est l'Agneau. (Jean 18, 28 ; 19, 14 ; 19, 36).

Le dessin frappe par la lumière sortant des portes des maisons et illuminant la nuit. La lumière représente Dieu qui passe et qui appelle le peuple à le suivre, tout de suite.

LA VICTOIRE DE DIEU Exode 15, 1 (page : 39)

C'est l'aurore. Le peuple hébreu vient de traverser la Mer des Roseaux après une longue nuit de marche. Le soleil rougit l'horizon, couleur de lumière et de sang. Les eaux de la mort se sont refermées sur les Égyptiens, symboles de ceux qui refusent Dieu. Israël naît au contraire comme peuple de Dieu en ce matin de Pâque. Il sort des eaux comme une naissance, comme un baptême. Joie de la résurrection collective. Dieu a vaincu la mort.

La Pâque des Hébreux est la promesse de cette autre Pâque ouverte par Jésus quand il est passé de la mort à la vie. Jésus Christ est le premier qui a parcouru ce chemin. Au début de l'Église, on disait qu'il était « le premier-né de toute créature » (Colossiens 1, 15), appliquant à la Résurrection l'image de la sortie des eaux, image de baptême.

Le dessin est une sortie progressive de l'ombre et du tombeau. Des hommes et des femmes se dressent et s'orientent vers Dieu. Mais déjà les bras se fatiguent et le signe de la croix surgit au cœur du mystère de Résurrection.

LA MANNE ET LES CAILLES Exode 16 (pages : 40/41)

Les Hébreux marchent pendant quarante ans dans le désert pour apprendre à connaître Dieu. Quarante ans est le temps d'une génération, le temps d'une vie humaine. Nous sommes tous appelés à traverser le désert au bout duquel apparaît la terre promise. Dieu nous appelle à vivre le mystère pascal, la mort et la Résurrection du Seigneur.

La marche dans le désert est une épreuve de vérité. La tentation nous y attend. Quelle est-elle ? Vouloir vivre avec ses propres moyens, avec ses propres dieux, refermé sur soi-même. Cet « enfer » » (du mot enfermé) revient à oublier Dieu, source de tout. La tentation surgit sous forme d'une révolte parce que les faux dieux qui sécurisent ne tiennent plus dans ce désert. Le pain et la viande du ciel sont plus nécessaires à la vie que la nourriture terrestre (Matthieu 4, 4).

L'Eucharistie chrétienne s'inscrit dans ce contexte d'Exode. Le pain et le poisson de la multiplication des pains (Marc 6, 41), de la pêche miraculeuse (Luc 5, 4) et des apparitions du Ressuscité (Jean 21, 13) rappellent la manne et les cailles. L'évangile de Jean (chapitre 6) développe une réflexion sur les rapports entre l'Eucharistie et l'Exode. C'est le « discours du Pain de Vie ».

Le dessin s'ouvre sur un ciel bleu lumineux. Le ciel, c'est le don de Dieu, à profusion. Israël sort de ses tentes obscures qui se fondent avec des rochers. Fond de tombeau ! Les tamaris en fleurs évoquent le buisson ardent, c'est-à-dire le Seigneur. Dieu était à l'Exode des Hébreux, mais il sera aussi à la fin des temps, et il invitera l'humanité entière à son banquet de pain et de viande.

LE ROCHER QUI ABREUVE Exode 17, 1 (page : de couverture)

Israël s'interroge : « Le Seigneur est-il ou non parmi nous ? » Cette interrogation est celle d'une communauté en détresse. Elle était celle des déportés de Babylone qui relisaient ce texte. Elle était celle des premiers chrétiens persécutés à cause de Jésus Christ et qui se demandaient pourquoi Jésus ne faisait rien pour eux. (Matthieu 8, 24). La communauté du désert est le symbole de toute communauté de foi qui a la tentation de ne plus croire en l'action de Dieu.

La réponse à cette question : « le Seigneur est-il ou non parmi nous? » est dans l'eau vive qui jaillit du rocher et qui sauve le peuple de la mort. Le Temple nouveau vu par Ézéchiel (47, 1), contient une source d'eau vive qui coule de son côté droit, écho de celle qui vivifiait le Paradis (Genèse 9, 6).

Saint Jean reprend cette image après la mort et la Résurrection du Seigneur. Il contemple le Christ en croix et décrit : « Un des soldats lui perça le côté et, aussitôt, il en sortit du sang et de l'eau. » (Jean 19, 34).

Saint Paul utilise autrement cet épisode de l'Exode. Il dit que le rocher qui accompagnait les Hébreux dans le désert était le Christ lui-même. (1 Corinthiens 10, 4). Chacun développe sa contemplation de Jésus Christ en utilisant les récits de l'Ancien Testament. Les évangiles ne sont jamais de simples descriptions, mais des professions de foi.

LA RÉVÉLATION DE DIEU AU SINAÏ Exode 19, 16 (page : 42)

Tonnerre, éclairs, feu, nuée, sons de trompe, tremblement de terre, montagne, font partie de l'imagerie biblique représentant la manifestation de Dieu. Le Nouveau Testament a repris cette imagerie et l'a même amplifiée. Quand Jésus meurt, l'obscurité se fait (Matthieu 27, 45) et la terre tremble. La terre tremble aussi quand l'ange descend annoncer la Résurrection. Il a lui-même l'aspect de l'éclair (28, 2). Dans l'évangile de Matthieu, la tempête qui sera apaisée est aussi produite par un séisme, allusion à la croix et à la Résurrection (8, 24) qui est la suprême manifestation de Dieu.

Dans le récit de la Pentecôte (Actes 2, 2), l'auteur introduit du feu et du bruit. C'est une allusion au Sinaï.

Saint Paul, évoquant la fin des temps et le retour du Seigneur, parle de trompettes (1 Thessaloniciens 4, 16). Les apocalypses (ou manifestations) développent des récits terrifiants pour suggérer la venue du Seigneur. Elles amplifient des images déjà présentes dans la scène du Sinaï. (Matthieu 24, 26). Le sens est clair : quand Dieu vient tout est chamboulé.

LE VEAU D'OR Exode 32, 1 (page : 43)

Sans Moïse, parti sur la montagne, le peuple ne sait plus où aller. Il se fabrique alors un guide tangible, une idole visible, le veau d'or. Dieu, au contraire, veut le culte intérieur et la liberté de l'homme. Il interdit à son peuple les fausses évidences du monde sensible et matériel. Il invite chacun à habiter son amour. Mais Israël suit ses mauvaises habitudes. Il adore le dieu Baal de la fécondité. Il adore Astarté, la reine du ciel. Ces dieux-là ne conduisent qu'à la mort. (Osée 8, 4-5).

Saint Paul utilise cet épisode pour demander aux premiers chrétiens d'être fidèles et non pas idolâtres. « Ces faits, dit-il, se sont produits pour nous servir d'exemple. » (1 Corinthiens 10, 6). Les veaux d'or sont en effet nombreux dans la vie de l'homme (Matthieu 6, 24).

Le dessin est sombre : nuée obscure, serpent, tente noire derrière l'autel. La stupéfaction se lit sur les visages car la collectivité a sans doute bonne conscience puisqu'elle suit ses habitudes routinières qu'elle prend pour une tradition. Le peuple comprendra-t-il le geste prophétique de Moïse ?

LE SERPENT D'AIRAIN Nombres 20, 6 (page : 44)

La foi d'Israël est en train de défaillir dans le désert. Le peuple abandonne Dieu : c'est la mort des hommes. Les « serpents brûlants », dont le texte parle, évoquent une intervention de Dieu. Ce nom suggère le dragon qui crache le feu, le Léviathan monstre marin et plus simplement le Satan (dont l'étymologie contient le mot « serpent »).

L'évangile de Jean (3, 14) fait allusion à ce récit en substituant le Christ au serpent d'airain. « Comme Moïse éleva le serpent au désert, ainsi faut-il que soit élevé le Fils de l'homme. » Élever, pour Jean, signifie élever en croix, mais aussi élever au ciel. C'est l'Ascension, ou la Résurrection. Une prophétie de Zacharie (12, 10) dit ceci : « Ils regarderont vers celui qu'ils ont transpercé. » Elle est peut-être à l'origine du rapprochement entre Jésus et le serpent d'airain.

Jésus, en devenant homme, a pris l'apparence d'un pécheur. « Il s'anéantit lui-même prenant la condition d'esclave et devenant semblable aux hommes. » (Philippiens 2, 7). Mais, au-delà de cette apparence, il est, comme le serpent d'airain, le Sauveur qu'il convient de contempler et que les martyrs ont imité.

Voilà pourquoi le dessin représente le serpent cloué sur une croix et regardé par tous.

LE MAGE BALAAM Nombres, 22, 2 (page : 45)

Le mage Balaam n'est pas hébreu. C'est un homme de Dieu, mais il est païen, c'est-à-dire non-juif. Il est même sans doute un ennemi d'Israël puisque le roi Balac le convoque pour proférer des malédictions.

La Bible a une perception aiguë de l'importance de la parole humaine. Celle-ci engage l'homme qui la profère et engage l'avenir dont il parle. Elle laisse une marque. Parole d'amour. Parole de justice et de vérité. Parole de haine. Toutes transforment le monde dans un sens ou dans un autre. Le Verbe (la Parole) de Dieu est efficace : Dieu dit et cela est. Création ! Nous aurions tendance à voir de la magie dans les formules de malédiction et de bénédiction. Nous sommes simplement confrontés au mystère du verbe.

LE MONDE INVISIBLE Nombres 22, 28 (page : 46)

Balaam croit voir, mais l'ânesse voit mieux que lui, puisqu'elle « voit » l'ange, c'est-à-dire une réalité qui échappe à son monde. C'est ce qui arrive aussi aux pharisiens à qui Jésus reproche : « Si vous étiez des aveugles, vous seriez sans péché ; mais vous dites : ' Nous voyons ! ' Votre péché demeure. » (Jean 9, 41).

Le plan de Dieu ne correspond pas à celui de Balaam. Celui-ci est appelé par le roi Balac pour maudire Israël, son ennemi. Mais Dieu veut autre chose, et il voit plus loin que la courte vue du mage. Le plan de Dieu est le salut de la création tout entière (Romains 8, 19).

Dans le dessin, le ciel est rouge de la « lumière de Dieu ». Balaam tourne le dos à cette réalité-là. Il s'en prend à son ânesse et ne comprend pas.

UNE ÉTOILE SE LÈVERA Nombres 23, 17 (page : 47)

Le troisième oracle du mage Balaam mentionne la venue d'une étoile. Jadis, on croyait qu'à chaque nouvelle naissance une étoile supplémentaire apparaissait au ciel. La venue d'un astre nouveau signifie la naissance d'un homme.

Les premières communautés chrétiennes pensent à Jésus Christ en méditant cet oracle. On en trouve deux traces dans le Nouveau Testament. C'est d'abord Apocalypse 22, 16 qui évoque le Ressuscité brillant au matin de Pâques. Il est nommé « L'Etoile radieuse du matin ». C'est ensuite Matthieu 2, 1 qui raconte le récit des mages venant adorer Jésus dont la naissance coïncide avec le lever d'une grande étoile.

Le dessin représente une nuit dans laquelle un astre exceptionnel brille au-dessus des tentes d'Israël. La nuit est celle qu'évoque l'évangile de Matthieu : c'est Hérode, le nouveau Pharaon; ce sont les saints Innocents, les nouveaux premiers-nés d'Israël tués par le roi ; c'est la fuite en Égypte, pays symbolisant l'esclavage du péché. Cette nuit correspond à l'absence de Dieu dans ce monde. Mais la lumière va y surgir comme lors du premier jour de la création, lumière pascale. Rappelons-nous la liturgie de la lumière lors de la vigile pascale. Les mages symbolisent les païens, c'est-à-dire les non-juifs, qui suivent l'étoile (Jésus) et viennent l'adorer. Ils lui portent l'or de la royauté, l'encens de la divinité et la myrrhe, parfum d'embaumement, qui évoque la mort et la Résurrection : Jésus est le « premier-né de toute créature. » (Colossiens 1, 15).

DIEU TRAVAILLE Exode 17, 8 (page : 48)

Dieu travaille et l'homme aussi. Josué combat l'ennemi, mais si Moïse arrête de se tourner vers Dieu, c'est la défaite. Mystère de l'alliance entre Dieu et l'homme ! Danger de ne voir que l'œuvre de l'homme et d'oublier que Dieu est vivant et qu'il agit pour que « son règne vienne ». C'est le thème du psaume : « Il ne dort ni ne sommeille, le gardien d'Israël » (Psaume 121, 4).

La scène se déroule sur une montagne, signe de l'Alliance. La montagne est illuminée par la lumière du ciel. Moïse est debout sur un rocher. Le roc (Deutéronome 32, 4 ; psaume 18, 3) est un nom donné à Dieu par la Bible. Il évoque la fidélité de Dieu et la solidité de la construction divine. Le mot « amen » dit cette réalité qui s'édifie. Jésus est nommé « pierre d'angle » (1 Pierre 2, 6) par les premiers chrétiens, parce que l'Eglise se fonde en lui.

LA MISSION DE JOSUÉ Deutéronome 31, 1 (page : 49)

Qui va faire entrer le peuple hébreu en terre promise ? Josué remplacera Moïse et il mènera à son terme le premier accomplissement de la promesse. Jésus sera le nouveau Josué, qui marchera en tête de son peuple afin de le conduire à la Résurrection, la nouvelle « terre promise ». Ce parallèle Josué/Jésus est courant chez les Pères de l'Eglise. La similitude des deux noms favorise le rapprochement.

Déjà, dans l'évangile de Luc (19, 35), nous voyons Jésus passer, comme Josué, par Jéricho, avant d'entrer dans la phase finale de sa mission de salut. L'aveugle de Jéricho voit Jésus, qui entre dans sa mort et sa Résurrection, et il est sauvé. « Jésus lui dit : ta foi t'a sauvé. » Il peut suivre Jésus dans la nouvelle « terre promise ».

VOCATION DE GÉDÉON Juges 6, 11 (page : 50)

Comme Moïse a été envoyé pour sortir d'Egypte le peuple de Dieu, Gédéon est envoyé par l'ange du Seigneur — c'est-à-dire Dieu — pour sauver Israël. L'ange représente la réalité de Dieu, le monde invisible, qui surgit dans le monde visible et sensible. L'ange est une question pour l'homme.

L'ÉPREUVE DE GÉDÉON Juges 6, 25 (page 51)

Gédéon profite de la nuit pour démolir le pieu sacré dédié à Baal, dieu de la fécondité, auquel le peuple se voue pour avoir la pluie et une bonne récolte. Détruire cette idole est un préalable indispensable pour obtenir l'aide de Dieu. Le Seigneur n'admet pas les cœurs partagés et nous oblige à choisir entre lui et Baal.

« Le Seigneur est un Dieu jaloux » (Exode 34, 14). Il ne faut pas voir dans cette formule une faute contre la morale, c'est au contraire une parole d'amour venant de Dieu. L'homme va à sa perte quand il se rend esclave des dieux qu'il se fabrique, l'argent, la bonne chère, la drogue, le pouvoir politique etc. Seul le Seigneur est capable de donner la Vie et la Résurrection. Tel est le premier commandement d'Israël, le cœur de la foi biblique exprimé dans le fameux « Ecoute Israël, le Seigneur notre Dieu est le seul Seigneur. » (Deutéronome 6, 4).

Cette curieuse formule est très actuelle. Nous nous croyons supérieurs aux polythéistes antiques, nous adorons cependant mille dieux aujourd'hui comme hier.

LA NAISSANCE DE SAMSON Juges 13, 2 (page : 53)

Samson, tel qu'il est décrit dans la Bible, n'est pas un personnage historique et, encore moins, un juge d'Israël. Le récit met en scène un nazir de Dieu, c'est-à-dire un homme consacré à Dieu. Ces hommes ne coupaient ni leurs cheveux, ni leur barbe, en signe d'appartenance à Dieu. Les premiers chrétiens semblent avoir fait un rapprochement entre les mots nazir et Nazareth. Ils nomment Jésus le Nazoréen (Matthieu 2, 23). Le jeu de mot avait du sens.

La naissance de Samson se réalise après une annonciation, après l'intervention de l'ange du Seigneur qui aurait pu s'appeler Gabriel, nom qui évoque la puissance et le caractère procréateur de Dieu.

Le dessin fait sortir Samson d'une grotte, c'est-à-dire d'un tombeau, Dieu fait naître et renaître. Ces deux actes se confondent d'ailleurs à Noël où la naissance du Sauveur est une évocation de la Résurrection. Ceci est clair dans les icônes de la Nativité : l'enfant Jésus y est représenté serré dans les bandelettes comme un mort et le berceau a une apparence de caveau.

LA DESCENTE À GAZA Juges 16, 21 (pages : 54 et 55)

Samson, choisi par Dieu, n'est pas à la hauteur du secret qui lui a été confié. Il le trahit. Ce secret n'est autre que Dieu.

Pour partager le secret de Samson, cette « force qui déplace les montagnes » (Marc 11, 23) la conversion est indispensable. Il faut abandonner les nombreux maîtres que nous nous fabriquons. Une méditation et un choix personnel sont nécessaires. Dieu n'est pas une potion magique. Dieu n'est pas une connaissance positive.

Les Philistins symbolisent les païens, voués à toutes sortes de maîtres qui les aveuglent. Ils s'interrogent sur le secret de Samson et veulent le percer. Ils lui proposent le dieu de la fécondité auquel il succombe. Samson vit alors dans les ténèbres. Il devient aveugle car il n'a plus la lumière de Dieu pour le guider. Mais ce péché de Samson servira au salut des païens attirés par le secret qu'ils ne peuvent saisir pour l'instant.

Samson, rasé et aveugle, est entraîné par les païens qui le « font descendre dans la fosse ». Cette marche nocturne se fait sur un chemin de désert. Trois arbres noirs, sur un fond de rocher, évoquent la mort et le tombeau. Mais les païens sont en marche aussi, avec Samson, vers une destination qu'ils ignorent encore.

LA FIN D'UN TEMPLE Juges 16 (page : 56)

Dieu accepte que Samson se venge des Philistins, car le drame se joue à un autre niveau. Les Philistins, esclaves du dieu de la fertilité, sont condamnés à mort. Ils déplorent les œuvres de Samson « qui, disent-ils, multiplie nos morts », mais, en tant que collectivité vouée à Dagon, ils vont droit à leur perte. Ils sont dans une impasse, mais ne le savent pas. Comme les pharisiens de l'évangile, bien qu'aveugles, ils croient voir (Jean 9, 40). Dieu détruit le temple païen pour briser leur aveuglement. La vocation de l'homme n'est pas la fertilité naturelle, mais Dieu. Nous voilà loin de la petite morale individuelle.

Jésus en fera autant avec le temple de Jérusalem. Sa mort coïncide avec la destruction du temple juif. Jésus réalise la fin d'un culte qui, comme celui de Dagon, ne peut pas transformer le cœur de l'homme (Matthieu 24, 1). Jésus détruira, lors de sa venue, à la fin des temps, « tous les temples faits de main d'homme » qui ne peuvent durer éternellement.

Sur le dessin, les cheveux de Samson ont repoussé : Dieu a pardonné, et Samson a retrouvé sa vitalité. C'est la force de Dieu, dont les cheveux du nazir sont signes, qui renverse les fausses montagnes (Matthieu 16, 20). Les ténèbres dominent la scène. Elles symbolisent l'aveuglement dû à l'attachement aux faux maîtres. Au centre, l'idole préside. Elle ressemble au veau d'or de l'Exode. Elle ne semble pas détruite dans la catastrophe et elle renaîtra sous d'autres formes.

SAMUEL ET LE TEMPLE 1 Samuel 1, 28 (page : 58)

L'Arche d'Alliance était à Silo avant d'être à Jérusalem. Chaque année, au moment de la vendange, Israël montait au temple pour la fête des Tentes, fête de la royauté de Dieu Sabaoth, le Dieu des armées célestes, le Seigneur de la voûte étoilée et du monde invisible. Le temple est une image du ciel. On voyait sans doute dans le temple de Jérusalem les signes du zodiaque suggérés par les quatre animaux d'Ezéchiel (1, 5). Repris dans Apocalypse (4, 6-8), ces animaux symboliseront ultérieurement les quatre évangélistes.

Le récit de l'enfance de Samuel a marqué la rédaction des évangiles de l'enfance. Le Magnificat (Luc 1, 45) ressemble au cantique d'Anne. Jésus est le nouveau Samuel, encore plus lié au temple que lui, puisqu'il est le Seigneur Sabaoth, le Seigneur du temple qui stupéfie les docteurs de la loi (Luc 2, 41).

Le temple est dessiné sur un fond de nuée, car le véritable temple est le ciel. La route est longue et montante pour atteindre ce temple.

LA FÊTE DE DIEU 2 Samuel 6 (page : 60-61)

David fait entrer l'Arche de Dieu à Jérusalem. C'est la fête de Dieu qui entre dans sa ville sainte. David, en tête du cortège, mène la danse, mais c'est Dieu qui vient.

Chaque année, en septembre, Israël fêtait l'entrée royale de son Dieu. L'autel et le temple étaient au centre de cette fête dite des « Tabernacles » (ou des Tentes) appelée ainsi parce que le peuple séjournait une semaine dans des huttes (ou tabernacles) de branchage. Une procession se déroulait jusqu'à l'autel et on agitait des palmes au cri de « Hosanna », qui scandait le chant du psaume 118 (119). « Hosanna » pourrait être traduit par : « Dieu donne le salut. »

Cette célébration coïncidait avec la vendange et la grande liesse propre aux fêtes du vin. La vigne, le pressoir et le vin font partie de l'imagerie du Salut et de la venue de Dieu (Jérémie 8, 13 et Isaïe 63, 2-3).

Le vin eucharistique est le sang du Christ. Il a coulé et il est passé par le pressoir de la croix quand le Seigneur est venu. La vendange se poursuit jusqu'au dernier retour du Christ (Apocalypse 14, 19-20 et 19, 15).

Le dessin situe l'entrée de l'Arche à Jérusalem dans le cadre de la fête des Tabernacles. Il évoque Jésus, le Seigneur, entrant à Jérusalem au cri de « Hosanna. Béni soit celui qui vient au nom du Seigneur, le roi d'Israël ». (Jean 12, 13). Le Seigneur est venu ; le Seigneur reviendra. Tel est le cœur de notre foi. Le dimanche des Rameaux ouvre, dans la liturgie, le mystère pascal.

LA PRIÈRE DE DAVID 2 Samuel 7, 18 (page : 62)

Cette prière est le sommet de l'histoire de David. Nathan vient de lui révéler le plan de Dieu sur lui : « Ta maison et ta royauté subsisteront à jamais devant moi. » Eternité de Dieu et relativité de l'homme.

David se met alors à réfléchir sur lui, sur son passé marqué par l'onction royale, sur la promesse qu'il vient d'entendre, sur ce Dieu inconnu qui conduit l'histoire. Il s'interroge : « Qui suis-je devant le Seigneur de l'histoire ? » La question reste ouverte.

Peut-on avoir une identité en dehors de Dieu ? L'homme n'est-il pas néant hors de ce fondement ? L'existence de chacun d'entre nous est fonction de notre vocation, du plan de Dieu qui mène sa création à terme. Telle est l'expérience de David qui s'exprime dans la prière.

La royauté de David sera transférée à Jésus Christ, le « fils de David ». Royauté d'un autre ordre, tel que le suggèrent les évangiles de Marc (12, 35) et Jean (18, 37).

PARABOLE DE NATHAN 2 Samuel 12, 1 (page : 63)

Urie est un Hittite, c'est-à-dire un non-juif, un païen, quelqu'un qui n'est pas du peuple de Dieu. Le comportement de David va à l'encontre du plan de Dieu. David se croit propriétaire de ses sujets, alors que le seul maître de l'homme est Dieu. Le pouvoir et la richesse produisent l'oubli de Dieu. Ils rendent difficile l'attitude filiale qui est demandée dans le Notre Père (Matthieu 6, 9 et 19, 23).

Nathan ne fait pas de sermon à David. Il lui propose une parabole, une énigme. Il ne lui dit pas d'emblée ses quatre vérités. Il le laisse d'abord porter un jugement sur l'acte, sans l'impliquer tout de suite.

La parabole est, dans certains évangiles, utilisée par Jésus pour montrer que le sens de la Parole de Dieu n'est pas évident. Elle demande méditation et engagement. La parabole risque de ne pas être comprise quand on est au dehors du Royaume. Jésus disait à ses disciples : « A vous le mystère du Royaume de Dieu a été donné ; mais à ceux-là qui sont dehors tout arrive en paraboles afin qu'ils aient beau voir et n'aperçoivent pas... » (Marc 4, 11).

David a compris la parabole de Nathan car il avait l'intelligence de la foi. Comprenons-nous le sens de la Parole de Dieu ? Cherchons-nous à en avoir l'intelligence ?

LE TEMPLE DE JÉRUSALEM (page : 64)

Au temps de Jésus, les Juifs « montaient » trois fois par an à Jérusalem pour prier au temple. La plus grande de ces trois fêtes officielles semble être, à cette époque-là, la fête des Tabernacles située à l'équinoxe d'automne. On y célébrait la royauté de Dieu habitant parmi son peuple. En 70, après que Titus avait détruit le temple dont il est question en Jean 2, 20, cette fête a été suspendue. Il semblerait alors que la fête de la Moisson (ou fête des Semaines) ait pris dans le judaïsme, comme dans les premières communautés chrétiennes, de plus en plus d'importance. Elle avait lieu cinquante jours après Pâques et se situait au moment de notre Pentecôte chrétienne.

Comme les Juifs, les chrétiens ne pouvaient plus prier au temple comme ils le faisaient avant sa destruction. (Actes 2, 46). Le temple a été remplacé par « le culte en esprit et en vérité » (Jean 4, 24). Il est normal que la Pentecôte chrétienne remplace pour nous la fête des Tabernacles. Dieu habite par l'Esprit Saint au milieu de son peuple.

Le temple était l'élément central du culte officiel, mais les Juifs avaient tendance à se croire propriétaires de Dieu dans la mesure où ils étaient propriétaires du temple (Jérémie 7, 4). Ézéchiel (10, 18) décrit le spectacle de la nuée qui sort du temple, juste avant sa première destruction, au sixième siècle avant notre ère. Il fait une description analogue lorsqu'il annonce la reconstruction du temple après l'exil (Ézéchiel 43, 4). Par ce mouvement de la nuée, représentant Dieu, le prophète invite les Juifs à dissocier Dieu et le sanctuaire. Le règne de Dieu parmi les hommes ne saurait se faire sous le mode magique. Dieu n'est prisonnier ni de lieux, ni de mots. Il est libre.

Jésus reprend et prolonge la parole des prophètes. Dans l'évangile de Jean, Jésus se désigne comme le nouveau Temple. La communauté chrétienne commente : « Lui parlait du sanctuaire de son corps » (Jean 2, 21). Les Juifs le détruiront, mais il sera édifié de nouveau trois jours après. Le mot édifier évoque la Résurrection.

Le temple a une grande importance dans l'évangile de Luc. Cet évangile débute dans le sanctuaire (1, 9) qui se détruit à la mort de Jésus. « Le voile du temple s'est déchiré par le milieu » (23, 45). Le prêtre Zacharie devenu muet ne peut plus accomplir ses fonctions sacerdotales. Il ne peut plus bénir Dieu devant le peuple, car il n'a plus la parole. Le temple est maintenant lié à la personne de Jésus qui, dès douze ans, s'y est assis au milieu des docteurs de la loi (2, 46). Comme dans l'évangile de Jean, la mort et la Résurrection du Seigneur ont transformé l'économie du salut.

SALOMON, ROI DES ROIS I Rois 10 (page : 65)

La reine de Saba est païenne. Elle ne connaît pas Dieu, mais elle vient de très loin, attirée par le renom et la sagesse de Salomon.

Dans l'évangile de Matthieu (12, 42), Jésus fera allusion à cette visite royale pour reprocher aux Juifs leur aveuglement. Jésus, la Sagesse même (1 Corinthiens 2, 7), n'est pas reconnu.

Cette visite de la reine de Saba à Salomon prend tout son sens en 85 de notre ère, à l'époque où l'évangile de Matthieu est rédigé. Les païens, en effet, se convertissent en masse, alors que le peuple élu refuse de reconnaître Jésus, le « nouveau Salomon », le « fils de David » ou la « Sagesse de Dieu ».

Jésus Christ donne sa dimension universelle à la Promesse. Le récit des mages (Matthieu 2, 1) illustre cette réalité. Les traditions populaires ultérieures ont encore insisté sur l'aveuglement d'Israël quand elles ont mis dans la crèche un âne et un bœuf. Ceux-ci reconnaissent Jésus, mais Israël, non. Elles ont utilisé une image de l'Ancien Testament (Isaïe 1, 3).

Ainsi, l'imagerie de la reine de Saba rendant visite à Salomon préfigure la conversion des païens (les mages) du monde entier.

LA MORT DE NABOT 1 Roi 21, 8 (page : 66)

Nabot est condamné à mort pour avoir trop aimé sa vigne. Elle lui avait été transmise par héritage et il la cultivait pour son fruit. Cette vigne, entourées de murs, installée sur un coteau fertile, est Israël. (Isaïe 5). Jésus s'assimile à elle jusque dans sa mort. « Je suis la Vigne (Jean 15) ». Nabot aussi : il est une figure du Christ qui mourra entre deux larrons, rejeté par les siens. Ce récit a sans doute alimenté la prière des premiers chrétiens qui ont reconnu en Jésus l'Agneau que les chefs du peuple ont conduit à l'abattoir.

LE TORRENT DE KERIT 1 Roi 17, 22 (page : 68)

Tandis qu'Israël est dans la sécheresse totale par suite de son péché, Elie est nourri au désert par Dieu. Dieu lui donne du pain le matin et de la viande le soir comme pour les Hébreux dans le désert (Exode 16, 8). Il lui donne l'eau ; cette eau que fit jaillir Moïse en frappant sur le rocher (Exode 17, 1).

La viande et le pain deviendront le poisson et le pain dans les évangiles (Matthieu 14, 17 et 15, 34 ; Jean 21, 9). L'eau deviendra l'eau vive donnée à la Samaritaine (Jean 4, 1). En arrière-fond, nous avons le banquet messianique que Dieu offrira à son peuple le jour de sa venue. Jean 21, 12 et Matthieu 22, 1 y font allusion. Il s'agit du repas eucharistique.

Le dessin évoque une résurrection. Elie semble sortir d'un tombeau au milieu d'un éboulis de rochers. Une végétation en jaillit. Le feu, qu'on retrouve en Jean 21, 9, évoque l'action de Dieu qui se révèle.

LE CARMEL 1 Rois 18, 20 (page : 69)

Au bout de trois ans de sécheresse, Dieu va mettre fin à l'épreuve. Les Hébreux avaient marché trois jours dans le désert avant de traverser la mer (Exode 3, 18 et 5, 3). Jésus ressuscitera le troisième jour. Le chiffre trois est un code qui annonce l'intervention divine.

Celle-ci survient quand le feu du ciel s'abat sur l'autel d'Elie. Il est venu comme il l'avait fait au Sinaï (Deutéronome 4, 12) et comme il le fera à la fin des temps.

Le serviteur d'Elie monte sept fois sur la montagne du Carmel avant d'apercevoir au loin la nuée. Celle-ci apporte l'eau indispensable à la vie. La pluie, symbole de la Parole de Dieu (Isaïe 54, 10 et Osée 8, 11), réalise la création. Jésus, le Verbe de Dieu, fait venir l'Esprit dans le monde et inaugure la nouvelle création. La quatrième béatitude : « Heureux les affamés et assoiffés de justice, car ils seront rassasiés », réaffirme la nécessité de la Parole de Dieu pour le salut de l'homme.

L'ASCENSION D'ÉLIE 2 Rois 2, 11 (page : 71)

Ce récit associe une montée au ciel et le don de l'Esprit à Élisée. Il est raconté après une traversée des eaux à pied sec. Il rappelle évidemment l'Exode. Élie est le nouveau Moïse. Cette ascension est sans doute le pendant de l'ascension que fit Moïse au Sinaï au milieu du feu (Deutéronome 4, 11). A la fin de la vie de Moïse, l'Esprit de Dieu se répand sur les soixante-dix anciens (Nombres 11, 16 et 24). De même, le prophète Ézéchiel sera enlevé dans un char de feu (Ézéchiel 2, 12) ; l'Esprit le conduira auprès des exilés.

Les premiers chrétiens fêtaient dans un seul mouvement Pâques, l'Ascension et la Pentecôte. Dans l'évangile de Luc (24, 50), l'Ascension est racontée le dimanche de Pâques. Dans l'évangile de Jean (20, 22), Jésus donne l'Esprit Saint le jour de la Résurrection.

En fait, l'Ascension est un langage, un code théologique, pour dire la nouveauté radicale du Ressuscité. On y fête la royauté de Jésus Christ. L'iconographie chrétienne nous a habitués au Christ en gloire.

C'est, semble-t-il, au quatrième siècle, que l'Ascension a été placée le jour de la Pentecôte, et au cinquième siècle dix jours avant, soit quarante jours après Pâques. On ne sait pas pourquoi cette date fut choisie. Une lecture littérale des Actes des Apôtres est peut-être à l'origine de ce choix liturgique.

L'évangile de Luc situe l'Ascension le jour de Pâques, tandis que l'auteur des Actes la place quarante jours plus tard. Comme il s'agit sans doute de la même personne, pourquoi cette contradiction ? Elle évoque sans doute les quarante jours de Moïse sur la montagne, comme les quarante jours du Déluge, les quarante jours d'Elie dans le désert, les quarante jours de Jésus au désert... un temps de révélation, un temps sacré.

Toujours est-il que l'Ascension est une intronisation de Jésus au ciel. La liturgie chrétienne prévoyait qu'on y chante le psaume 47 : « Dieu monte parmi l'acclamation... Il est roi par toute la terre. » Jésus, le « nouvel Élie », le « nouveau Moïse », est, lui aussi, au ciel assis à la droite du Père. Le récit de la Transfiguration, qui est une annonce de la Résurrection, montre Jésus s'entretenant avec Moïse et Élie (Marc 9, 4).

LE SALUT POUR LES PAÏENS 2 Rois 5, 13 (page : 73)

Naaman, le Syrien, l'étranger, est guéri de sa lèpre parce qu'il a cru à la parole de Dieu. Il proclame : « Je sais, il n'y a pas de Dieu par toute la terre, sauf en Israël. » Sa lèpre l'a quitté après sept immersions, allusions à la création qui se poursuit. Le plan de salut prévoit la conversion des païens, c'est-à-dire des non-juifs. La lèpre est le symbole du péché qui colle à la peau et qui est contagieux.

Jésus, nouvel Élisée, guérira les lépreux. Luc (4, 27) cite explicitement le récit de Naaman.

L'Eglise, animée de l'Esprit du Christ, répandra le baptême du salut parmi tous les peuples de la terre. Tous les hommes, comme Naaman, sont appelés à se plonger avec le Christ dans la mort pour ressusciter. La nouvelle création achève l'œuvre commencée avec la première création.

LA MULTIPLICATION DES PAINS D'ÉLISÉE 2 Rois 4, 48 (pages : 74-75)

Lors de la fête de la Moisson qui avait lieu cinquante jours après la fête de Pâque et des Azymes, on offrait au temple du pain de prémices. C'était du pain fait avec le premier grain d'orge de l'année. La moisson était considérée comme un don de Dieu et on le remerciait.

Élisée distribue ce pain de prémices à cent personnes affamées par une récente famine. Comme dans la parabole du grain de sénevé (Matthieu 13, 31), peu donne beaucoup. Les cent personnes sont rassemblées par ce pain nouveau et il y en a de reste.

L'eucharistie chrétienne s'est inscrite dans ce contexte cultuel et liturgique. Les premiers chrétiens ont précisé le sens de l'Écriture en l'appliquant à Jésus. Ce nouvel Élisée donne le pain nouveau, c'est-à-dire son Corps, à tous les hommes, juifs et païens.

Jésus lui-même a pu multiplier les pains à la fin de la moisson, quand la liturgie juive lisait le récit d'Élisée. Les chrétiens n'ont fait que prolonger cet acte qui a pris sa vraie dimension après la Résurrection.

Le miracle de Jésus et l'eucharistie chrétienne sont indissociablement liés à l'Ancien Testament. Jésus parfait le geste d'Élisée et il annonce que Dieu accomplit la Promesse qui sera totalement réalisée à la fin des temps quand le Seigneur reviendra. La profusion des pains multipliés annonce l'abondance des temps messianiques qui marque la révélation définitive de l'amour de Dieu. Tel est le sens de l'anamnèse de la messe : « Nous attendons ton retour dans la gloire. »

Dans les évangiles de Marc et de Matthieu, nous lisons deux multiplications des pains. Ce doublet, au moins dans l'évangile de Marc, a le sens suivant : le plan de Dieu se fait en deux temps, d'abord aux juifs, ensuite aux païens. Voilà pourquoi Marc mentionne à la fois un reste de douze corbeilles et une foule de cinq mille hommes (Marc 6, 42-44). Les douze corbeilles évoquent sans doute les douze tribus d'Israël et aussi les douze apôtres appelés par Jésus en Palestine. Les cinq mille hommes font penser au monde juif : le chiffre cinq est souvent utilisé dans ce sens à cause des cinq livres de la loi et des cinq livres des psaumes.

Voilà pourquoi aussi dans sa seconde multiplication des pains, Marc (8, 8-9) mentionne à la fois un reste de sept paniers et une foule de quatre mille hommes. Les sept paniers font penser aux sept diacres chargés du service de table dans la communauté hellénistique de Jérusalem (Actes 6, 5). Le chiffre quatre des quatre mille hommes se réfère aux quatre points cardinaux : il évoque la terre entière.

Le récit d'Élisée a donc permis l'élaboration théologique de l'évangile de Marc et la vraie dimension du miracle de Jésus qui ne peut pas être réduit à un fait divers étrange.

Le dessin est lumineux. Il montre une foule en train de se rassasier sur l'herbe verte du pâturage. Le thème du pasteur est sous-jacent comme dans la première multiplication des pains de Marc. L'herbe verte est celle du psaume 23 (verset 2). Une grande bâtisse se dresse là. C'est probablement la demeure du prophète, mais n'est-ce pas aussi une allusion au Temple nouveau qui est le Corps du Christ ?

LA PÂQUE D'ÉZÉCHIAS 2 Rois 19, 9 (page : 77)

L'enjeu du drame qui se joue entre Ézéchias, roi de Juda, et Sennachérib roi d'Assyrie est l'ouverture de la Révélation aux païens. Ézéchias, « fils de David », au plein sens du terme, va prendre au sérieux l'Alliance dont on parlait dans l'Écriture. Israël va bénéficier de la foi de son roi. Malgré les pressions de son entourage, Ézéchias joue la carte de

Dieu. Il refuse les tractations politiques. Malgré la récente destruction de Samarie, il brave l'armée assyrienne. Dieu se montrera vivant et gagnant.

A cause de la foi d'Ézéchias, Israël refera l'expérience du salut, cette même expérience que firent les Hébreux lors de l'Exode, et que nous sommes tous appelés à faire. Dieu ne change pas : il est fidèle à l'homme.

Les Assyriens symbolisent les païens qui se jettent sans le savoir dans le filet du Dieu vivant. Comme les Égyptiens de l'Exode, ils courent à la mort en s'attaquant à Dieu. Cependant, cette mort leur fera découvrir l'existence du Dieu vivant, seul capable de donner la vie à l'homme. Cette expérience négative est une première étape dans la connaissance de Dieu. Jésus Christ achèvera ce mouvement, depuis longtemps amorcé, en offrant la Résurrection à tous les hommes.

JÉRUSALEM EST SAUVÉE 2 Rois 19, 35 (page : 78)

Dieu est plus fort qu'une armée. La peste, appelée dans la Bible « ange du Seigneur », ravage en une nuit l'armée de Sennachérib.

Le dessin représente Jérusalem illuminée dominant les ténèbres et la mort. Image d'apocalypse. Jérusalem est comme une lampe qui brille pour les païens appelés à venir à la lumière (Matthieu 5, 14).

LE TRÉSOR DU TEMPLE 2 Rois 20, 12 (page : 79)

Ézéchias montre à l'ambassadeur du roi de Babylone le trésor du temple de Dieu. Alors Isaïe annonce immédiatement : « L'armée de Babylone viendra chercher ce trésor. » En effet, quelques années plus tard, la prophétie se réalisera. Ce sera l'exil et la destruction du premier temple de Jérusalem. Les païens voleront le trésor, mais seront aussi au contact avec le trésor de la Révélation.

Le trésor du temple n'est pas celui que les païens croient. Jésus jouera sur le mot « trésor » avec le jeune homme riche. Il lui dira : « Va, vends ce que tu possèdes, donne-le aux pauvres, et tu auras un trésor aux cieux. Puis viens et suis-moi. » (Matthieu 19, 21).

LA DESTRUCTION DE SION 2 Rois 25, 8 (page : 80)

Israël n'a pas écouté les prophètes et tous les avertissements de Dieu. Il a enfermé le Seigneur dans le temple et dans le culte. Cela le rassurait (Jérémie 7). La vie morale, sociale et politique s'était vidée de Dieu. Israël a ainsi sombré progressivement dans la mort et la destruction. Babylone, terme de l'exil, sera le nouvel esclavage, la nouvelle « Egypte ».

Le temple sera reconstruit quand Israël reviendra d'exil. Mais son cœur restera toujours aussi endurci, aussi loin de Dieu. Et Jésus, un jour, viendra dans son temple (Marc 11, 11). Il constatera de nouveau l'absence de fruit sur le figuier (le temple) qu'il desséchera et il annoncera la destruction définitive de Sion au profit de tous les hommes.

Dans le dessin, c'est la nuit. Les ténèbres recouvrent la ville sainte. La nuée de l'Exode, symbole de Dieu, domine la scène. Une longue file de prisonniers descend vers l'esclavage et la mort qu'ils ont choisis. Les rochers du bas évoquent des tombeaux.

LA STATUE AUX PIEDS D'ARGILE Daniel 2, 31 (page : 82-83)

Le livre de Daniel est tardif (IIe siècle avant JC). Il ne décrit pas un fait du passé. Daniel n'a sans doute jamais existé. C'est un livre religieux de méditation et de prière écrit pendant une période de persécutions. Nabuchodonosor est le type du persécuteur de bonne foi. Il est ouvert à l'irrationnel, à ce qu'il n'explique pas, mais il ne connaît pas Dieu. Daniel et ses compagnons entrent dans l'orbite du roi. Ils jouent le jeu qui leur est demandé, mais sans rien sacrifier à leur foi.

La foi de Daniel est une énigme pour le roi, qui est attiré par cette réalité inconnue de lui. Curieux, il cherche à comprendre cette foi, lui le roi païen, lui le persécuteur. Le livre de Daniel est un rébus qui est proposé au lecteur, rébus dont les songes sont des pièces importantes. Le genre littéraire est celui de la parabole, du midrasch.

La statue est au centre de ce premier songe. Elle est immense, mais ses pieds d'argile sont fragiles, même si sa tête est en or et son corps en argent, en fer et en bronze. Elle n'est fondée sur rien. Une petite pierre se détache et brise la statue. D'où se détache-t-elle ? Enigme. Probablement du ciel, dimension qui manque au monde de Nabuchodonosor. Cette pierre grandit et va recouvrir la terre entière.

Les premiers chrétiens, méditant ce livre et lisant ce verset : « le Dieu du ciel dressera un royaume qui ne sera jamais détruit », l'appliquaient comme une prophétie au Royaume de Dieu réalisé en Jésus Christ, « la pierre d'angle ». Une trace de cette réflexion reste dans l'évangile de Matthieu, chapitre 21, 42-43.

Le dessin se situe dans un décor de rêve où la couleur verte évoque à la fois l'espérance et l'apparence d'irréalité que peut revêtir la réalité de Dieu pour des rationalistes. La statue se dresse, paradoxalement, dans le monde irréel, car la seule réalité véritable ne peut exister qu'en Dieu.

LA PRIÈRE DE DANIEL Daniel 6, 11 (page : 84)

Daniel accepte de servir le roi, mais ce service est moins important que l'adoration du Seigneur. Le pouvoir temporel ne peut en aucune manière supplanter Dieu, qui seul donne la vie et l'être.

LA FOSSE AUX LIONS Daniel 14, 31 (page : 85)

Le livre de Daniel se termine par cette scène. Le roi constate que les lions n'ont rien pu contre Daniel, et que son Dieu est plus fort que le mal représenté par les lions affamés (Psaume 22, 14). Alors lui, le roi païen, se met, le septième jour, à proclamer : « Tu es grand, Seigneur, Dieu de Daniel. » Ce thème de la connaissance de Dieu parcourt les évangiles. C'est le centurion, au pied de la croix, qui confesse : « Vraiment, cet homme était fils de Dieu » (Marc 15, 39). La mention du septième jour évoque le sabbat et le dernier jour de la création. La création de Dieu ne peut se terminer qu'avec la conversion des païens.

LE FILS DE L'HOMME Daniel 7, 9 (page : 87)

L'apocalypse est un genre littéraire. C'est une manière d'écrire employée pour évoquer la révélation de Dieu. Quand Dieu vient, tout est bouleversé, tout est grandiose. Le livre de Daniel contient une apocalypse dont le chapitre 7 fait partie.

Ce chapitre décrit une scène de jugement. Le règne d'une bête immonde — entendre le grand serpent — est détruit. Il est remplacé par le règne d'un fils d'homme. Littéralement, « fils d'homme » veut dire homme. Cependant, l'expression suggère que quelque chose de divin marque la filiation. Ce « fils d'homme » est instauré roi par toute la terre pour un règne qui ne finira pas. Rappelons-nous le « que ton règne vienne » du Notre Père.

Les premiers chrétiens, méditant le livre de Daniel, ont découvert dans ce récit une prophétie réalisée par la mort et la Résurrection du Seigneur. Ils ont nommé Jésus le « fils de l'homme ». Peut-être que Jésus lui-même s'est appelé ainsi. Ce titre apparaît dans les évangiles dès qu'il y a évocation du retour du Christ pour le jugement.

Prenons un exemple : la guérison du paralytique de Matthieu 9, 1. Le titre de « fils de l'homme » y est appliqué à Jésus. Ce texte contient donc une allusion au mystère pascal. La fin du récit est curieuse. Qui sont ces foules saisies de crainte devant une banale guérison de paralytique ? Chacun sait bien que ce genre de guérison n'est pas très rare et a toujours existé même dans les cultes païens. On parlerait aujourd'hui de guérison psycho-somatique. Alors pourquoi ces foules et cette terreur ? Parce que la guérison du paralytique anticipe la guérison de tous les paralytiques selon la prédication prophétique de l'Ancien Testament. Dans les derniers temps, les aveugles verront, les boiteux — les paralytiques — marcheront et les pauvres recevront la Bonne Nouvelle. Le récit évoque donc la fin des temps quand le Royaume de Jésus Christ sera définitivement installé. Les foules de Matthieu sont sans doute toutes les nations du monde écrites en Daniel 7. Elles sont présentes au jugement. La crainte, habituellement réservée à la venue de Dieu, est employée ici, par la communauté de Matthieu, pour la personne de Jésus Christ à la fois « fils de Dieu » et « fils de l'homme. »

JONAS (page : 90-91)

Le livre de Jonas est un livre prophétique, c'est-à-dire qui ne décrit pas un fait du passé. C'est un midrasch, c'est-à-dire une parabole religieuse mise dans un contexte historique pour éclairer l'actualité d'Israël après l'exil. Ce midrasch, analogue à celui des mages dans l'évangile de Matthieu, interpelle les Juifs de l'époque. Jonas les représente. Jonas sera-t-il capable de tirer les enseignements de l'exil et de comprendre le plan de Dieu sur le monde ? Jonas sera-t-il capable d'ouvrir la Révélation aux païens qui ne connaissent pas encore Dieu ? Le livre se termine par un point d'interrogation.

Les premiers chrétiens liront cette parabole dans leur contexte historique. Ils la liront comme une prophétie de leur temps. En effet, dès le premier siècle de notre ère, les païens se convertiront à Jésus Christ. Tous les Juifs cependant n'accepteront pas l'universalité de la Révélation.

Voilà pourquoi le livre de Jonas est cité par l'évangile de Luc, un homme soucieux de l'évangélisation des païens (Luc 11, 30 et 15, 28). L'évangile de Matthieu (12, 40) garde aussi une trace de l'usage de l'Écriture dans les premières communautés chrétiennes. On y voit Jésus utiliser ce récit de Jonas pour répondre aux pharisiens qui demandent un miracle. Il faut savoir que les pharisiens sont en 85, date présumée de la dernière rédaction de cet évangile, les ennemis déclarés des chrétiens. Pour s'en convaincre, lire le chapitre 23 de Matthieu. Jésus dit aux pharisiens que seul le signe de Jonas leur sera donné comme preuve de ce qu'Il est. L'explication suit : « Le Fils de l'homme sera dans le sein de la terre trois jours et trois nuits. » Le prophète est donc une figure du Christ qui vainc la mort et le grand serpent de mer. La Résurrection est le seul fondement de notre foi.

Le dessin est une naissance hors de l'eau, une résurrection, un baptême. Les rochers de droite évoquent un tombeau.

JONAS, LE PRISONNIER DE DIEU Jonas 1, 11 (page : 88)

Jonas va calmer les flots et la tempête par son sacrifice. Les Pères de l'Église verront en lui une figure du Christ dormant dans la barque au milieu d'une tempête. Jésus, rejeté de la barque « Israël » lors de son sacrifice, vainc les eaux de la mort. Derrière le récit de la tempête apaisée (Matthieu 8, 23), il y a l'événement pascal. Le Christ se réveille (ressuscite) et vainc la mort.

Contrairement à Jésus, Jonas refuse sa mission et s'enfuit dans la direction opposée. Dieu le rattrape et sauve son prophète. Jonas semble être le type du croyant à qui Dieu fait traverser les eaux et qu'il sauve, comme il le fit pour Israël lors de l'Exode.

116

TABLE DES MATIÈRES

Achevé d'imprimer en septembre 1995
par l'imprimerie Campin — Belgique
N° d'édition 95142